S0-BLB-086

Mon Frère est gentil mais...

TELLEMENT TRAÎNEUX !

Catalogage avant publication de Bibliothèque et Archives nationales du Québec et Bibliothèque et Archives Canada

Pelletier, Josée, 1964-

Mon frère est gentil mais-- tellement traîneux!

(Mes parents sont gentils mais-... ; 17)
Pour enfants de 9 ans et plus.

ISBN 978-2-89591-158-6

I. Bergeron, Louise Catherine, 1958- . II. Titre. III. Collection: Mes parents sont gentils mais-- ; 17.

PS8581.E398M66 2012 jC843'.6 C2012-940168-4
PS9581.E398M66 2012

Correction et révision : Annie Pronovost

Dépôts légaux : 4e trimestre 2012
Bibliothèque nationale du Québec
Bibliothèque nationale du Canada

ISBN : 978-2-89591-158-6

4339, rue des Bécassines
Québec (Québec) G1G 1V5
CANADA
Téléphone : 418 628-4029
Sans frais depuis l'Amérique du Nord : 1 877 628-4029
Télécopie : 418 628-4801
info@foulire.com

Les éditions FouLire reconnaissent l'aide financière du gouvernement du Canada par l'entremise du Programme d'aide au développement de l'industrie de l'édition (PADIÉ) pour leurs activités d'édition. Elles remercient la Société de développement des entreprises culturelles du Québec (SODEC) pour son aide à l'édition et à la promotion.

Gouvernement du Québec – Programme de crédit d'impôt pour l'édition de livres – gestion SODEC.

Les éditions FouLire remercient également le Conseil des Arts du Canada de l'aide accordée à leur programme de publication.

IMPRIMÉ AU CANADA/PRINTED IN CANADA

Mon Frère est gentil mais... tellement traîneux !

JOSÉE PELLETIER

Illustrations
Louise Catherine Bergeron

Roman

CHAPITRE 1

UN IMPRÉVU

FROUTCH!

Je m'étends de tout mon long en entrant chez moi. J'aurais dû me méfier des traîneries qui se trouveraient sur mon chemin. Tout en frottant mon coude droit, je me redresse et cherche, parmi les objets éparpillés, celui qui est coupable de ma chute. Serait-ce le sac d'école de mon frère? Les nouvelles bottes de ma mère? (Fichtre! Elles sont superbes! Dommage qu'elle chausse plus petit que moi, sinon je les lui aurais empruntées.) Les espadrilles de mon frère? Ou le sac à main de maman, vide de son contenu? Il semble bien que je l'aie renversé en me prenant le pied dans la bandoulière. Je n'énumère pas tous les objets hétéroclites qui jonchent maintenant le plancher, genre mascara, gommes à mâcher, portefeuille, stylo, iPod (depuis quand ma mère a-t-elle un iPod ?), car je pourrais y passer la nuit. Or j'ai bien mieux à faire : organiser une fête d'Halloween chez moi.

Et demander la permission à maman de faire ce party.

Ce dernier point me donnera sûrement du fil à retordre : les parents, il faut toujours bien les amadouer pour avoir le droit de tenir un tel évènement. Il faut s'y prendre d'avance, être gentille, sortir le bac de recyclage (et le rentrer) de sa propre initiative pendant au moins trois semaines, avoir de bonnes notes à l'école, ne pas avoir fait de bêtises depuis un minimum de deux mois... Mais comme j'ai prévu tenir cette fête ce samedi, j'ai l'impression que beaucoup de courbettes seront nécessaires.

Je ramasse rapidement les objets répandus par terre et les replace pêle-mêle dans le sac de maman. Je ne peux pas m'empêcher de ranger aussi ses bottes et les souliers de mon frère, ainsi que son sac d'école. Je passe près du salon et remarque Julien, mon frangin, affalé devant la télévision en train de regarder les Simpson. Cette émission le rend tout à fait gaga. Une chance que respirer est un phénomène naturel et automatique, car il oublierait sûrement de s'oxygéner. J'omets de le saluer. De toute façon, je suis certaine qu'il ne m'entendrait pas.

Je fonce vers la cuisine. Maman n'y est pas, ce qui m'étonne peu : elle doit être devant son ordinateur à travailler d'arrache-pied sur sa thèse. Eh oui ! Elle étudie encore ! Certains collectionnent des trophées de chasse, comme mon père ; elle, ce sont les diplômes.

C'est bien là que je la trouve, en effet. Je minaude :

– Tu vas bien, ma maman chérie d'amour ?

– Oh oui !

Je jette un œil à son écran. Elle ne travaille pas, elle contemple des images de la nature. Dans un encadré, il y a la photo de quelqu'un qui reçoit un massage. Je demande :

– Qu'est-ce que tu fais ?

Avec un air rêveur, elle m'annonce :

– Regarde où je vais aller avec Diane.

– Diane ? La mère de Vivi ?

Elle acquiesce, alors que je me penche par-dessus son épaule. Incrédule, j'insiste :

– Ma Vivi ?

– Tu en connais d'autres ?

Cette amitié m'étonne encore. La mère de ma meilleure amie est si différente de la mienne. Diane est avocate, revêt toujours un tailleur et chausse des talons hauts. Maman étudie et est chargée de cours à l'université. Elle ne porte que des jeans, des bottes de cuir à talon plat ou des sandales de marche l'été venu. Diane a de magnifiques ongles, maman ronge les siens. Chez mon amie, tout est rangé, alors que c'est tout le contraire chez moi. Dans chaque pièce de notre petite maison, c'est le fouillis total (sauf dans ma chambre, bien entendu !). La cuisine est déprimante : le comptoir est envahi par toutes sortes de choses, sans parler de l'évier qui est toujours plein de vaisselle sale.

– C'est quoi ? que je demande, en indiquant les images.

– C'est un centre de détente. Tu sais, des massages, des spas, de la musique douce, de la cuisine santé ?

Elle me fait visiter le site Internet, et je souris en l'imaginant dans cet endroit. Je suis contente qu'elle s'offre ce week-end.

– Je suis certaine que tu vas t'y plaire. Quand comptes-tu y aller ?

Elle regarde le calendrier et me pointe la prochaine fin de semaine.

– J'ai réservé pour les 29 et 30 octobre. Diane est libre. Vous irez chez votre père, toi et ton frère.

Je sens le sol s'effondrer sous mes pieds.

CHAPITRE 2

TRAÎNEUX... MAIS GÉNÉREUX !

Je cours m'enfermer dans ma chambre pour téléphoner à Vivi.

– J'allais t'appeler, fait-elle en guise de salutations. Ta mère t'a annoncé la nouvelle aussi ?

– C'est une catastrophe ! dis-je en me retenant pour ne pas hurler. Notre plan est à l'eau. Mon père habite la banlieue, donc personne ne viendra. C'est bien trop loin !

Elle est aussi déçue que moi. J'aurais tant aimé faire cette fête. Impossible si je ne suis pas chez ma mère. Je demande à Vivianne :

– Ton père, lui, il restera chez toi ?

– Il n'ira quand même pas se faire masser, Babette ! Je sais ce que tu penses, ma chère, mais oublie ça tout de suite ! Pas de party chez moi ! fait-elle d'un ton sec. Je ne veux pas que papa nous surveille ! Je suis certaine qu'il passera la soirée avec nous et tentera de faire rigoler nos invités avec ses farces plates. Je suis même persuadée qu'il nous fera jouer au jeu de l'âne.

– C'est quoi, ce jeu ?

– Tu ne sais pas ce que c'est ? On bande les yeux d'une personne, on la fait tourner sur elle-même, ensuite on lui donne la queue de la bête et elle doit aller la poser sur une affiche où il y a un stupide âne sans queue.

Je pense tout haut :

– Mais ça semble amusant, non ?

Vivi émet un hoquet de surprise et raccroche. Grrr ! J'adore Vivianne, mais cette manie qu'elle a de toujours couper court à nos conversations m'exaspère. Je sors de ma chambre et rejoins mon frère au salon. Il est affalé, pieds nus, devant la télévision.

– Pouah ! Enlève tes chaussettes de la table du salon. C'est dégueu !

Sans dire un mot, il prend ses bas et... les met par terre. Je sais qu'ils y resteront jusqu'à ce que je me fâche. La dernière fois, j'ai attendu pendant trois jours qu'il les ramasse. J'ai fini par perdre patience et les ai mis moi-même dans le panier de linge sale. Pour une fois qu'il y avait deux jumeaux dans le panier. Je ne sais pas comment il fait pour toujours avoir un nombre impair de chaussettes au lavage. C'est un très grand mystère.

Julien profite d'une publicité pour aller dévaliser le congélateur. Il revient avec un sandwich à la crème glacée.

– T'aurais pu m'en offrir, lui dis-je avec une pointe d'amertume.

Il hausse les épaules en déballant sa friandise. À mon grand étonnement, il jette le papier par terre.

– Eh ! Le plancher du salon, c'est pas une poubelle !

Il se contente de me faire sa plus belle grimace avant de me tendre le dessert glacé.

– Tiens ! fait-il.

Il est peut-être traîneux, mais il n'y a pas plus généreux que lui.

– Laisse faire, je vais aller m'en chercher un.

Il insiste.

– Prends-le ! De toute façon, ç'aurait été mon troisième.

Généreux… mais gourmand! Je m'étire pour m'emparer de la collation et remarque qu'en effet, trois enveloppes de sandwich glacé gisent sur le sol. Misère!

Je n'ai pas le temps de prendre une bouchée que le téléphone sonne. Ce doit être Vivianne qui s'est enfin calmée.

– Allô!

Elle réagit aussitôt:

– C'est poche, le jeu de l'âne! C'est un jeu pour les bébés!

Je préfère ne plus la contrarier:

– Puisque tu le dis.

– Bon. Si on demandait à Paméla de faire la fête chez elle?

Vlan! C'est à mon tour de raccrocher. Ma meilleure amie me déçoit: ne sait-elle pas que je déteste Paméla-la-chipie? Depuis que je m'intéresse à Francis, le plus beau gars du monde, cette fille n'a qu'une idée, attirer son attention. Elle lui fait des yeux doux, bat des cils, balance ses hanches quand elle passe devant lui... Elle m'énerve!

Je retourne au salon, où je ne retrouve pas mon gentil petit frère. J'ai cru l'avoir vu, la tête dans une armoire de cuisine, à la recherche d'une grignotine. Il n'a même pas daigné ramasser les papiers par terre pour les mettre à la poubelle! Pfft! Il me reste au moins le bonheur de déguster mon sandwich glacé en zappant sur ma chaîne préférée.

– Maman! crie Julien. Qu'est-ce qu'on mange pour souper?

Je ne vis pas avec un garçon de 10 ans, mais bien avec un ogre. Il ne pense qu'à manger. Ce doit être pour ça qu'il oublie autant de ramasser ses affaires.

– Regarde dans le frigo ce que nous avons ! répond maman. J'arrive dans une minute.

Je rejoins mon frère afin de l'aider à choisir. Nous adorons cuisiner tous ensemble. J'aurais envie d'un spaghetti, ou d'une lasagne. Je me demande si on a de la sauce dans le congélateur. Julien et maman en ont fait une grosse recette dernièrement. Ç'a été mémorable : la cuisine était dans un état lamentable. Les conserves vides jonchaient le comptoir, juste à côté des pelures d'oignon, des cœurs et des queues de poivrons, des feuilles de céleri et des emballages vides de viande hachée. Maman n'avait pas mis de couvercle sur la casserole, et la sauce qui mijotait a éclaboussé le dessus de la cuisinière, ainsi que le mur derrière. Et comme d'habitude, ma mère était concentrée sur sa thèse et Julien rivé à son jeu vidéo. C'est ainsi que je les ai trouvés quand je suis revenue de chez Vivianne.

Ça sentait la sauce brûlée dans toute la maison. On a dû faire tremper la casserole pendant deux jours, et la frotter une heure durant pour que son aspect redevienne respectable. Par chance, on a pu sauver la sauce, même si elle avait un petit goût de brûlé.

J'ouvre la porte du congélateur, et je me sens sauvée : il y en a ! Dans le garde-manger, Julien trouve des lasagnes. Youpi ! On mangera donc des pâtes. Je cherche du fromage dans le frigo.

– Beurk !

Des taches vertes ornent le pourtour de la mozzarella. Je la mets sans attendre à la poubelle.

– Et puis ? fait maman qui nous rejoint.

– Lasagne ! s'écrie fièrement Julien.

– Oh ! C'est une bonne idée, s'exclame-t-elle. J'ai vraiment le goût d'en manger.

Je prends mon air le plus désolé :

– Mais on n'a plus de fromage.

Elle glisse la main dans sa poche de jean et me tend un billet de 10 dollars.

– Tiens ! Va à l'épicerie en chercher. Pendant ce temps, Julien et moi allons préparer les pâtes.

Le partage des tâches ne me semble pas égal, mais ça ne me dérange pas puisque j'ai des chances de rencontrer Francis. La petite épicerie qui se trouve tout près de chez moi appartient à ses parents. À l'occasion, après l'école, il va leur donner un coup de main. Je le sais parce que je l'ai vu plus d'une fois. Mais un gars de deuxième secondaire comme lui n'a sûrement pas remarqué la gamine d'un an plus jeune que je suis.

Je vais vite enfiler mon manteau avant que maman ne change d'idée. Flang ! Voilà que je passe près de m'étendre à nouveau de tout mon long. Je crie :

– Julien ! Viens ramasser ta boîte à lunch, espèce de traîneux !

CHAPITRE 3

LA FÉE ET LE MAGICIEN

– Quelqu'un a vu mon devoir de français ?

Il ne reste que cinq minutes avant de partir pour l'école. Julien est dans un état de panique. Je suis en train de mettre la touche finale à mon lunch quand il entre en trombe dans la cuisine. Je demande :

– As-tu regardé dans le panier à journaux ?

Il l'inspecte illico, mais sa recherche semble infructueuse. Je lui fais remarquer :

– T'avais juste à ne pas le laisser traîner pendant deux jours sur la table de cuisine. Vite ! Tu vas rater l'autobus !

Mon frère court dans la maison comme une poule sans tête.

– Je dois le retrouver. Il faut absolument que je le remette aujourd'hui !

Il m'énerve ! C'est sans grand entrain que je vais jeter un œil dans le bureau de maman. Sur le coin de son bureau se trouve une pile de papiers que je passe à la loupe. Je tombe par hasard sur des brochures d'informations qui n'ont pas de rapport avec son sujet d'étude. Bizarre ! Elle s'intéresse à la médecine, maintenant ?

– Je l'ai ! crie mon frère.

Soucieuse, je replace les papiers et rejoins mon frère dans la salle de bain. Je le découvre tout heureux, brandissant tel un trophée son devoir à moitié chiffonné.

– Mais qu'est-ce que ta feuille faisait dans le panier de linge sale ?

Il hausse les épaules sans me répondre. J'imagine qu'on a dû retirer la nappe de la table, et que le devoir s'y est retrouvé prisonnier. Mais ce qui m'intrigue le plus, c'est comment il a pu penser regarder à cet endroit ? Comment, dans sa petite tête d'enfant de 10 ans, s'est faite la relation suivante:

Devoir manquant = Regarder dans le panier de linge sale ?

C'est à n'y rien comprendre. J'oblige Julien à se dépêcher.

– Je ne trouve pas ma boîte à lunch ! se plaint-il.

Je soupire fortement, signifiant clairement mon exaspération.

– Après avoir fait ton lunch, où l'as-tu mise ?

Il me fixe avec un point d'interrogation dans le visage.

– Euh ! Je n'ai pas fait mon lunch, avoue-t-il.

– Julien ! Hier soir, maman t'a demandé de le préparer toi-même, parce qu'elle devait se lever tôt pour aller à une conférence.

– M'en souvenais plus, murmure-t-il, penaud.

Il ouvre la porte du réfrigérateur et trouve une salade de pois chiches. Je regarde ma montre avec impatience.

– Grouille !

– *J'haïs* ça ! gémit-il en saisissant le plat de plastique comme s'il contenait une bombe sur le point d'éclater.

Il feint le haut-le-cœur. Oh ! Et puis, tant pis pour mon bon repas que j'ai préparé avec appétit. Je lui tends mon lunch.

– Tiens ! Prends le mien.

– Oh ! Mais non! fait-il d’une voix triste. Je ne vais pas manger, c’est tout.

– Allez ! Arrête de faire pitié ! Je vais prendre un dîner congelé. On a des micro-ondes à notre école.

Je m’empare d’une boîte de pâtes Alfredo dans le congélateur.

– Vous, à l’école primaire, vous êtes trop petits et pas assez matures pour qu’on vous laisse réchauffer vous-mêmes vos repas.

J’aime me sentir supérieure et lui rappeler que je vais maintenant à l’école secondaire alors que lui, il est seulement en cinquième année.

– Vite ! Tu vas manquer l’autobus !

En chaussant mes espadrilles dans le vestibule, j’aperçois un seul soulier appartenant à Julien.

– Où est ton autre soulier ?

– Dans ma chambre ! crie-t-il en se sauvant pour aller le chercher.

J'aimerais prendre une radiographie du cerveau de mon frère pour comprendre ce qui cloche chez lui : pourquoi un soulier se trouve-t-il dans le vestibule et l'autre dans sa chambre, surtout qu'il en est pleinement conscient ?

Il revient, fier d'avoir son espadrille dans les mains. Son petit sourire en coin me fait craquer à l'instant.

– Allez, dépêche ! dis-je sur un ton plus patient.

– Rappelle-toi : moi, je suis le magicien et toi, tu es une fée !

Attendrie, je lui ébouriffe les cheveux. Ces surnoms, celui de la fée et du magicien, remontent à quatre ans. Julien et moi allions à la même école primaire. À l'occasion de la Saint-

Valentin, nous pouvions envoyer des lettres d'amitié à d'autres élèves, peu importe le niveau. J'ai été surprise de recevoir un message de lui, alors qu'il était en première année. Il avait tracé ses lettres de façon peu gracieuse, mais je m'en fichais, c'était trop touchant:

«Tu es une fée! Je t'aime! Julien xx»

En revenant de l'école, après l'avoir remercié, je lui ai réclamé des explications:

– Tu es une fée, parce que tu arrives toujours à me faire sourire même quand je suis tristounet!

Comme le courrier spécial de la Saint-Valentin fonctionnait toute la semaine précédant la fête des amoureux, j'ai pu lui envoyer à mon tour un petit mot affectueux:

«Et toi, tu es un magicien! Babette xx»

– Je suis magicien ? s'est-il étonné après avoir reçu le message.

– Bien sûr ! Tu réussis à faire disparaître un tas de trucs. Une mitaine, un crayon, ton toutou Georges...

– Oh ! Tu l'as retrouvé ? a-t-il fait, rempli d'espoir.

J'étais tellement désolée de le décevoir :

– Non ! C'est toi le magicien ! Tu fais disparaître des objets, parce que tu les laisses traîner, mais tu ne sais pas encore comment les ramener à toi. Un jour, tu apprendras peut-être.

– Quand j'ai perdu maman au centre commercial, tu crois que c'était à cause de mes pouvoirs magiques ? Je l'ai peut-être fait disparaître pendant un moment ?

Il est trop mignon, mon frère. Mais si on revient à nos moutons, nous sommes sérieusement en retard.

D'ailleurs, en cherchant sa casquette dans la penderie, je vois l'autobus scolaire qui passe devant chez nous.

– Oh non ! Tu as raté l'autobus !

La colère m'envahit. Mon frère préfère garder le silence en mettant gentiment son couvre-chef. Il sait qu'un mot de plus de sa part me fera sortir de mes gonds. Je dois maintenant l'accompagner, ce qui me mettra en retard. Son école est tout à fait à l'opposé de la mienne. Ma mère refuse que Julien prenne seul l'autobus de la ville ou le métro. Moi, j'ai la permission depuis que je vais à l'école secondaire. Les premiers jours de septembre, maman m'accompagnait, ce qui était très gênant. Elle s'est vite rendu compte que nous étions plusieurs du même âge à prendre le même autobus et qu'aucun des autres n'était avec un adulte. J'ai eu droit à mille recommandations avant de pouvoir utiliser le transport en commun toute seule.

Donc, me voilà à attendre un autobus qui n'est pas le mien. À l'autre coin de rue, celui où j'aurais dû me trouver, je vois mes amis qui m'ignorent, trop occupés à parler entre eux. Je suis deux fois plus en colère contre mon frère, parce que Francis est parmi eux. Je suis triplement en colère quand j'aperçois, dans l'autobus qui s'arrête pour les faire monter, Paméla-la-profiteuse qui sourit au beau Francis. À mon grand désespoir, je ne serai pas là pour veiller sur ma cause.

CHAPITRE 4

DES PÂTES ALFREDO, C'EST DANGEREUX !

Bien entendu, je suis arrivée en retard. Et pour cette raison, je vais devoir rester après l'école ce jeudi, jour officiel des retenues. Je suis résignée et malheureuse, car Vivianne et moi avions prévu magasiner des costumes d'Halloween, ce jour-là. De toute façon, on ne sait même pas ce qu'il adviendra de la fête.

– C'est pas grave, me dit-elle à l'heure du dîner. On ira vendredi soir ou samedi matin.

– Tu as donc demandé l'autorisation à ton père pour faire le party chez toi ?

– Na ! Pas question ! Tu sais, le jeu de l'âne...

Je me souviens de m'être fait raccrocher au nez, en effet. Enthousiaste, elle poursuit :

– J'ai pensé qu'on pourrait faire le party chez toi, enfin chez ta mère, je veux dire, et que ton père pourrait venir nous surveiller pendant que ta mère sera partie avec la mienne. Ton sous-sol est bien mieux que le mien.

Je m'exclame aussitôt :

– Pas bête comme idée ! Je vais lui téléphoner ce soir. Je sais qu'il sera d'accord. Alors, go! On lance les invitations dès aujourd'hui ! Papa n'aura vraiment plus le choix d'accepter. Au pire, ton père viendra.

L'œil assassin qu'elle me lance me rappelle le jeu ridicule de son père. Je la rassure aussitôt:

– Ne t'en fais pas! Mon père acceptera! Il voudrait toujours que j'invite un tas d'amis chez lui, en banlieue. Ça fait cent fois que je lui explique que c'est trop loin et trop compliqué. L'idée de nous surveiller chez ma mère lui plaira, je te le garantis!

Vivi semble soulagée. Je sors mon repas de mon sac en plastique et louche vers les micro-ondes. Je n'aurais pas dû me vanter à mon frère que je disposais de micro-ondes à la cafétéria. D'abord, il y a foule; ensuite, personne ne respecte le temps de cuisson du plat qui précède le sien. Des élèves impolis ouvrent la porte du four, mettent leur repas sans égard pour le mien qui est déjà en train de cuire. On se retrouve à quatre plats en même temps qui chauffent tant bien que mal. C'est sans parler de la bousculade. Je me croirais projetée dans le temps des hommes de Cro-Magnon, défendant leur proie comme si c'était une question de vie ou de mort. Pfft!

Je retourne à ma place et mélange les nouilles à l'aide de ma fourchette. Celles du centre semblent prises ensemble, encore congelées. Je lorgne vers les fours, où c'est toujours l'anarchie. Je dois me résoudre à manger froid.

– Ouach!

– C'est pas bon? demande Vivianne.

– C'est froid sans bon sens!

Je prends mon courage à deux mains et me dirige vers les micro-ondes. Je réfléchis à une stratégie pour m'approprier un appareil sans que personne puisse y introduire son dîner en même temps que le mien, lorsque j'entends:

– Salut, Éli !

Mon expression doit refléter à la fois la surprise et la terreur : Francis est là, tout souriant. Je suis renversée qu'il sache mon prénom. En fait, tout le monde m'appelle Babette. C'est le diminutif d'Élizabeth. Le fait qu'il dise « Éli » au lieu de mon surnom me surprend infiniment.

– Tiens ! On mange la même chose !

Ça me rassure de savoir qu'on a les mêmes goûts. C'est peut-être un premier indice qu'un bel avenir nous attend. Des images de lui et de moi, assis sur un cheval blanc trottant dans un pré parsemé de fleurs sauvages, me passent par la tête. Ma foi ! J'ai beaucoup trop d'imagination !

– Euh ! Ça ne te dérange pas si je mets mon repas en même temps que le tien ?

J'oublie tout à coup les élèves malotrus qui font de même. Si bien demandé, peut-on refuser?

– Pas du tout, voyons!

Alors que le four est en marche, il dit:

– Je t'ai vue, hier. Tu es venue acheter du fromage à l'épicerie Roberge.

– Ah oui? Tu y étais? Je ne t'ai pas vu.

Menteuse! Dès que je suis entrée, j'ai balayé du regard le magasin pour voir s'il était là. Je l'ai aussitôt aperçu en train de placer des fruits. Il me tournait le dos et j'étais persuadée qu'il ne remarquerait pas ma présence, même si j'ai fait un détour pour passer pas trop loin de lui.

– Je travaille là. Ce commerce appartient à mes parents.

Je feins l'étonnement.

– Vraiment ? Je ne savais pas !

J'habite dans ce quartier depuis un an et quelques mois. Quand je suis arrivée, Francis fréquentait déjà l'école secondaire. Moi, j'entrais en sixième année. Nous allons donc à la même école pour la première fois. Je l'ai remarqué lors de la rentrée des classes. C'est lui qui dirigeait notre groupe pour la visite de l'école. Il démontrait de l'assurance, semblait à l'aise de parler devant un groupe et son sourire m'a charmée. Vivi a tout de suite perçu mon émoi. Elle m'a taquinée devant sa mère, qui a appelé la mienne plus tard, et maman m'a demandé dès qu'elle a eu raccroché avec Diane :

– T'es pas un peu jeune pour être amoureuse ?

J'ai boudé Vivi pendant deux jours pour lui apprendre à tenir sa langue.

Ding ! Les repas sont prêts. La sonnette du micro-ondes me tire de mes souvenirs. Si je ne me dépêche pas, je sens que je vais perdre ma chance d'inviter Francis à ma fête d'Halloween :

– Samedi soir, j'organise un party déguisé. Tu veux venir ?

Il réfléchit deux secondes avant de répéter :

– Samedi soir ?

L'attente me semble interminable. Enfin, il déclare avec le plus beau des sourires :

– Pourquoi pas ?

Je suis renversée : il a accepté ! Je me retiens de sauter sur place et taper des mains frénétiquement. Seules mes joues s'enflamment. Impossible de camoufler ma joie !

Il ouvre la porte du four. Je ne sais plus lequel des repas est le mien. Devant mon hésitation, Francis suggère :

– Prends n'importe lequel. De toute façon, c'est la même chose.

Je n'ai pas pensé une seule seconde que le fait d'avoir mis mon plat à réchauffer une deuxième fois a fait en sorte qu'il est à présent brûlant. Ce qui devait arriver arrive. Je prends le premier plat, en espérant que ce soit le mien, puisque j'y ai déjà pris une bouchée. Je sais que mon vœu ne se réalisera pas dès que Francis s'empare du second, car, par le côté où le couvercle est relevé, il renverse de la sauce bouillante sur ses doigts. Aussitôt, il se met à hurler :

– Aïe ! Ouch ! Ayoye ! C'est ben chaud !

Il laisse tomber le plat. Le couvercle se déchire et voilà que mon pantalon noir et mes souliers sont aspergés de fettucines Alfredo. Le pire, c'est d'entendre l'éclat de rire tonitruant de Paméla-la-spectatrice. Je me sens si humiliée !

– Oh ! Excuse-moi ! dit Francis, confus, oubliant pendant quelques secondes ses doigts meurtris.

Je ne peux pas bouger. Je baigne dans une mare de nouilles. J'ai aussi l'étrange impression que tous les regards sont braqués sur moi. Je ne sais pas comment réagir à ce désastre. En fait, la seule chose sensée qui me passe par la tête est de lui donner le plat que je tiens toujours dans mes mains.

– Tiens, je pense que c'est ton repas. Bon appétit !

Je déguerpis sans attendre mon reste. Je me hâte vers les toilettes des filles pour nettoyer le dégât sur mes vêtements. Je n'ose pas regarder derrière moi, mais je suis certaine que je laisse çà et là des traces de sauce blanche sur le plancher.

– Babette ! crie Vivianne, qui s'est lancée à ma poursuite. Attends !

Elle me rejoint au pas de course. Elle remarque les larmes qui menacent de couler de mes yeux.

– Viens, je vais t'aider à arranger ça, fait-elle d'une voix chaleureuse.

Elle glisse son bras sous le mien et m'entraîne. Vivianne est bavarde, c'est vrai. Elle a aussi tendance à me raccrocher au nez, mais ce que j'aime de mon amie, c'est que je pourrai toujours compter sur elle.

CHAPITRE 5

QUAND LE MALHEUR ME TOMBE SUR LA TÊTE

À la fin des cours, ce jour-là, Francis m'attend à la sortie de l'école. Dès qu'il me voit, il vient à ma rencontre et se confond en excuses.

– Oh ! Ce sont des choses qui arrivent, dis-je, posée.

Le fait qu'il est là me fait oublier ma honte d'avoir dû passer la journée avec un pantalon souillé et des souliers tachés. Vivianne, qui m'accompagne, trouve que je le déculpabilise trop rapidement.

– Tu vas faire quoi pour son jean? lui demande ma chère amie, dont j'ai subitement le goût d'ignorer l'existence.

J'aurais envie de m'écrier: «Je ne vais quand même pas lui donner mon pantalon pour qu'il le lave? Franchement!» Mais je reste bouche bée, tout comme Francis, qui semble étonné de la furie de Vivi. Elle me dévisage, puis explique:

– Il pourrait offrir de te payer une collation! Tu dois crever de faim! Tout ce que tu as mangé, c'est mon dessert!

Est-elle frustrée parce que j'ai mangé son yogourt ou parce qu'elle s'en fait vraiment pour moi? J'hésite pendant un moment. Au coin de la rue, un autobus de la ville arrive et, dans un élan, nous courons à l'arrêt. C'est la cohue pour y monter. À l'intérieur, il ne reste que deux sièges libres. Prévenant, Francis nous les offre. À l'instant où mon amie et moi posons nos fesses sur les sièges, Paméla-la-saisisseuse-d'occasion s'approche et entraîne Francis vers le fond de l'autobus.

– Pouah ! fait-elle en relevant le nez. Ça sent la vieille sauce au parmesan ! Viens avec moi, ajoute-t-elle en glissant son bras sous celui de Francis. L'air est plus sain de ce côté-là !

Grrr! Je la déteste ! Je la hais ! Je la méprise ! Je la... je la... Bref, je ne trouve plus de synonymes pour expliquer à quel point je ne l'aime pas, cette fille-là ! J'ai envie d'écrire son nom sur un bout de papier, puis de sauter dessus à pieds joints pour le piétiner ! N'empêche que mon Adonis me lance un regard navré. Ça met un baume sur ma déception.

Paméla-la-voleuse-de-garçon-qui-aime-les-pâtes-Alfredo réussit à garder l'attention de Francis sur elle pendant le reste du trajet. Vivi descend à mon arrêt et insiste :

– En tout cas, si j'étais toi, j'exigerais qu'il me dédommage, qu'il…

– Il s'est déjà excusé, dis-je, en lui coupant la parole.

Pour elle, tout doit être traité avec justice. Des excuses, ce n'est jamais suffisant.

– Éli !

Francis, derrière nous, m'appelle. Il court même vers nous. Pamela-le-fantôme n'est plus avec lui. Fiou !

– Depuis quand te surnomme-t-on « Éli » ? demande mon amie, tout étonnée.

Je ne lui réponds pas, car le trac me scie l'estomac. Je lui chuchote :

– Qu'est-ce que je fais ?

– Tu restes de glace, me conseille-t-elle.

Francis nous rejoint, essoufflé.

– Demain, à l'école, j'apporte le lunch pour nous deux, d'accord ? m'offre-t-il.

Son irrésistible sourire me fait fondre instantanément. J'accepte illico.

– Mais pas un truc congelé, lui recommande Vivi.

Ils se défient tous deux du regard.

– Non, pas un truc congelé, répète-t-il en ramenant ses yeux vers moi. Promis !

Si j'étais un iceberg, je fondrais comme par magie tant je sens des bouffées de chaleur dans ma poitrine. Et ce cœur qui bat... Pourvu que personne ne l'entende !

Quand j'arrive chez moi, j'ai peine à ouvrir la porte. Quelque chose la coince. Je me faufile dans la petite ouverture que je réussis à créer et découvre les traîneries de mon frère.

– Julien ! Tes souliers m'empêchaient d'entrer. Tu ne pourrais pas les mettre ailleurs ? Et puis va ramasser la boîte à lunch que je t'ai prêtée ! Nettoie les plats et range-la ! N'oublie pas de mettre ton manteau dans la garde-robe et va porter ton sac d'école dans ta chambre !

J'ai des allures de gardien de prison quand je veux.

Pas de réponse. J'entre dans le bureau et salue ma mère. Je demande :

– Où est Julien ?

– En bas, je crois. Il joue à un jeu vidéo. Tu as eu une bonne journée ?

– Si on compte que j'ai dû reconduire Julien à l'école, ce qui a fait que je suis arrivée en retard à mon cours, et que je dois aller en retenue ce jeudi, alors que j'avais prévu magasiner avec Vivi des costumes d'Halloween, qu'à l'heure du dîner, un gars a renversé son plat de nouilles sur moi, qu'une fille m'a humiliée dans l'autobus, je dirais que non, je n'ai pas passé une bonne journée. Mais si je mets dans la balance le fait que le gars qui a accidentellement fait tomber ses pâtes sur moi se rachète en m'offrant le dîner demain, je crois que c'était une journée pas si moche que ça. Et toi?

Et je me rappelle soudainement:

– La salade de pois chiches... Tu sais, celle que Julien déteste...?

Elle éclate de rire.

– Je sais! Je suis partie avec sa salade César... J'avais la tête ailleurs.

Parfois, ma mère est comme une enfant! Elle me donne l'envie de la gronder.

– C'est gentil de lui avoir préparé son dîner, ajoute-t-elle avec un regard qui m'enveloppe d'amour maternel.

Je lui souris. Je louche vers la pile de courrier à classer et me souviens des dépliants que j'ai découverts ce matin.

– Le gars en question... s'informe-t-elle avec une pointe d'ironie.

– Tu n'en sauras pas plus ! dis-je en m'enfuyant sans lui laisser le temps de poursuivre ses taquineries.

L'image de Francis me fait aussitôt oublier l'interrogatoire que je m'apprêtais à mener, mais me rappelle que j'ai une permission à demander. Je reviens sur mes pas.

– Dis, maman, je pourrais faire une fête d'Halloween samedi soir ?

Avant qu'elle ne réponde, j'ajoute :

– Je sais que tu seras partie avec Diane, mais papa pourrait venir nous surveiller ici. Allez, dis oui !

Elle reste bouche bée et réfléchit. Enfin, elle sourit.

– C'est une excellente idée ! s'exclame-t-elle à mon grand soulagement. Je vais téléphoner à Vincent. Je pense qu'il aimerait bien surveiller une bande d'ados un samedi soir ! Allez, cours voir ce qu'il faut faire pour décorer le sous-sol !

J'y vais aussitôt, le cœur léger. Je me sens heureuse. S'il avait fallu qu'elle refuse, qu'aurais-je fait des invitations déjà lancées ? Je fais toujours les choses trop vite quand l'enthousiasme me gagne. J'espère que papa sera d'accord. Je croise les doigts en descendant la dernière marche de l'escalier. En bas, un triste spectacle s'offre à moi : mon frère est complètement hypnotisé par la télévision. Devant lui, deux canettes vides de thé glacé traînent sur le plancher. Un sac de croustilles gît sur le divan et des miettes jonchent le sol, comme si on avait marché sur des chips mais qu'on n'avait pas pris la peine de les ramasser. Quatre boîtes de jeux vidéo sont ouvertes, et les CD ont été laissés à côté. Ça doit lui prendre beaucoup d'énergie pour mettre immédiatement le disque dans la boîte, la fermer et la ranger quand il a terminé de jouer à son jeu. Je ne vois pas d'autres explications. Un coton ouaté traîne juste à côté d'une casquette. C'est sans compter tous les instruments de musique du jeu *Rock Band* qui sont éparpillés ici et là.

– Julien ?

Pas de réponse, pas même une réaction. Seuls ses pouces s'activent sur la manette. Sa bouche est négligemment ouverte. S'il ne la ferme pas bientôt, j'ai l'impression qu'un filet de bave s'en échappera.

– Julien ? dis-je plus fort.

– Quoi ? fait-il, impatient.

– Va ramasser la boîte à lunch que je t'ai prêtée.

– Tantôt.

Il ne délaisse pas un seul instant son écran. C'est fou de voir à quel point ses pouces bougent rapidement alors que le reste du corps est tout à fait immobile.

– Tu la ranges avant souper, sinon… Eh! Qu'est-ce que ça sent?

Une odeur désagréable me monte au nez.

– Pouah! Ça pue!

– J'ai pas pété! s'exclame mon gentil petit frère bien élevé.

Je fais fi de sa réponse, cherchant plutôt la provenance de l'odeur qui, de toute évidence, ne vient pas de son popotin. C'est bien pire, ma foi! Je fais le tour de la pièce, en humant l'air ambiant. J'ai l'air d'un chien renifleur dans un aéroport à la recherche d'indices pouvant dévoiler une personne coupable de trafic de drogue.

Tout en continuant à jouer à son jeu, Julien donne son avis sur mon lunch.

– C'était quoi le gazon que tu as mis dans ton sandwich ? C'était dégueu !

– C'était de la luzerne. Pis tu sauras que si j'étais partie avec mon lunch, et si tu n'avais pas manqué l'autobus, j'aurais eu une bien meilleure journée ! Qu'est-ce qui pue autant ?

Il hausse les épaules. Tout à coup, il semble inquiet. Il laisse tomber ses manettes, se couche au sol, dans les miettes de croustilles, et se faufile sous le canapé. Il en sort une assiette où trône un demi-sandwich aux œufs. La puanteur est encore plus soutenue. C'est horrible! Je lui arrache l'assiette des mains, même si l'odeur de pourriture me lève le cœur. Je crie :

– Maman ! Viens ici !

– Chut! Chut! répète-t-il sans arrêt.

Il n'a visiblement aucune envie de se faire gronder. Il tente tant bien que mal de me rependre l'assiette, mais je la lève le plus haut possible pour ne pas qu'il l'atteigne. Comme il est plus petit que moi, il sautille afin de s'emparer de la pièce à conviction. Au moment où ma mère arrive, il réussit à l'attraper… et tout me tombe sur la tête. De la mayonnaise, des œufs et une tranche de pain moisie me collent aux cheveux.

Je pleure comme une Madeleine. Les larmes, c'est comme mon enthousiasme, difficile de les retenir. J'ai vraiment hâte que la journée se termine.

CHAPITRE 6

LES ALLERGIES, ÇA GÂCHE LES JOURNÉES !

Zut ! Il pleut abondamment, ce matin. Je cherche en vain mon parapluie. Je me souviens de l'avoir prêté à Julien. Je m'informe :

– Mon parapluie, tu sais où il est ?

– Quel parapluie ?

Cette recherche s'annonce d'ores et déjà pénible. Je pourrais lui dire de laisser faire, que je vais mettre mon vieil imperméable, mais je n'en ai pas envie. Je me suis coiffée avec soin et j'ai bien choisi mes vêtements, car c'est ce midi que je dîne avec Francis-l'Adonis.

J'aimerais éviter d'arriver à l'école avec des cheveux pêle-mêle, du mascara qui dégouline jusqu'au menton et des vêtements trempés. J'attaque donc:

– Je te l'ai prêté quand tu es allé chez Charles-André.

– J'ai dû le laisser chez lui, répond-il comme si ça n'avait aucune importance.

J'inspire profondément afin de ne pas perdre patience.

– Ce matin, il pleut et je veux mon parapluie.

Il hausse les sourcils et me dévisage comme si j'étais une demeurée.

– Que veux-tu que je fasse? Il est chez Charles-André, répète-t-il.

Malgré ma promesse de rester calme, je sors de mes gonds:

– Mais veux-tu me dire pourquoi tu l'as laissé chez ton ami, alors que tu devais le rapporter?

– Je n'en avais pas besoin pour revenir, puisqu'il ne pleuvait plus, niaiseuse ! explique-t-il avec insolence.

– Niaiseux toi-même ! Je fais quoi ce matin, pas de parapluie ?

– Tu sèches !

S'apercevant de ce qu'il vient de déblatérer, il s'esclaffe :

– Ha ! ha! Tu sèches ! C'est trop drôle !

– Vraiment très drôle ! dis-je en martelant le plancher pour aller protester auprès de ma mère.

Je la trouve dans sa chambre.

– Maman ? Tu aurais le temps de venir me reconduire à l'école ?

– Mmmouais, pourquoi pas ? fait-elle d'une voix lasse.

– Il pleut et Julien a laissé mon parapluie chez Charlot. Ce serait dommage que ce soit moi qui subisse les conséquences parce qu'il a oublié MON parapluie chez son ami.

Je garde mon calme, mais ça ne m'empêche pas de l'accuser.

– Ah ! Lui ! fait-elle, marabout. Il laisse tout traîner.

Je remarque tout à coup ses traits tirés. Elle a sûrement mal dormi. Peut-être a-t-elle travaillé toute la nuit sur son projet de thèse ? Je me sens soudainement mal de faire une scène juste pour une question de coiffure.

– Laisse, je vais marcher. De toute façon, tu dis toujours que marcher sous la pluie est bénéfique. On prendra le métro ensemble, si tu veux. As-tu rejoint papa, hier ?

– Non, fait-elle dans un soupir. Je lui ai laissé un message. Il me rappellera sans doute ce matin.

Une fois de plus, sa fatigue me saute au visage. Elle se penche et ramasse les vêtements qui jonchent le plancher de sa chambre.

– Ne t'en fais pas, j'irai te reconduire, Babette. De toute façon, je dois prendre ma voiture. J'ai un rendez-vous après les cours.

– Un rendez-vous galant? dis-je pour la taquiner.

Je sors de la chambre et reçois une robe de nuit sur la tête.

– Pfft! Même pas!

Quelques secondes passent avant qu'elle s'exclame:

– C'est le jour de ton dîner d'amoureux! C'est pour ça que tu t'es faite aussi belle! Tu veux plaire à Don Juan? C'est qui? C'est qui? crie-t-elle en me poursuivant, alors que je m'empresse d'aller déjeuner.

Je me fige dès que je me rends compte du désordre qui règne dans la cuisine. Maman, qui a renoncé à me poursuivre et qui est descendue à la salle de lavage, est épargnée par le spectacle. Les casseroles et la vaisselle sales du souper d'hier soir remplissent l'évier. C'était pourtant le tour de Julien de ramasser après souper. Bien sûr, il n'a pas rempli ses tâches ménagères. Il y a plein de miettes de pain autour du grille-pain. Tant pis ! Ce matin, je n'ai pas envie de ramasser les traîneries des autres. Pendant que je fais griller une tranche de pain, je me verse un verre de lait. Je m'empare du couteau laissé dans le beurrier et tartine ma rôtie. Je prends une bouchée tout en déposant le couteau dans l'évier. Elle a un drôle de goût. Je prends une seconde bouchée pour vérifier. J'avale de travers quand j'aperçois, derrière le grille-pain, caché tel un tireur d'élite, un pot de beurre d'arachide ouvert. Mon pire ennemi ! Je le reluque, puis tente, à bout de bras, d'y remettre le couvercle. Malgré moi, j'inspire. L'odeur me pue au nez. Je sens ma gorge se nouer, comme si mon corps m'ordonnait de ne pas respirer. C'est suffisant pour provoquer instantanément une crise d'asthme ! Mais qui a eu l'horrible idée de faire entrer chez nous un pot de beurre d'arachide ? Tout le monde sait pourtant que j'y suis allergique. Hyperallergique ! Je comprends qu'il devait y en avoir sur le couteau que j'ai utilisé. J'examine ma rôtie et constate qu'effectivement, elle est contaminée.

– Maman ? Ahan ! Ahan ! Ahan ! Maman ?

C'est tout juste si je réussis à descendre l'escalier pour la rejoindre au sous-sol tellement je manque de souffle. Fichtre ! Elle n'y est plus. Je remonte :

– Maman ? Ahan ! Ahan ! Ahan ! Maman ?

– Quoi, encore ? Oh ! dit-elle en m'apercevant. Ça va pas, toi, hein ? Attends que je trouve ta pompe.

Maman cherche mon inhalateur et revient rapidement.

– C'est bizarre, il y a une minute, tu allais bien. Qu'est-ce qui s'est passé ?

Il est évident que mon état l'inquiète. Ce qui est pire, c'est la démangeaison que je commence à ressentir. Je remarque tout plein de petites boursouflures sur mes bras. Je relève mon chandail et constate qu'il en est de même sur mon ventre, autour du nombril.

– Tu fais une crise d'urticaire, suppose maman.

J'éclate :

– Je ne fais pas une crise d'urticaire ! Je fais une crise d'allergie au beurre d'arachide ! Pourquoi est-ce que nous en avons dans la maison ?

Elle m'oblige à inhaler de la cortisone afin de calmer mon asthme, avant d'avouer :

– C'était vraiment idiot de ma part, mais quand tu vas chez ton père, j'aime me faire des *toasts* au beurre d'arachide. Ton frère a dû trouver le pot et...

– Je vais l'étrangler.

Maman cherche maintenant mon Epipen, un médicament qui doit m'être injecté en cas d'allergie grave. Elle ouvre toutes les armoires de la cuisine, court fouiller dans la salle de bain. Je tente de lui dire que la seringue se trouve bien rangée dans mon sac d'école, mais ma crise d'asthme ne semble pas vouloir me donner de répit. De peine et de misère, je me rends à mon sac et m'empare de mon médicament. Ma mère me rejoint alors que je m'injecte moi-même l'épinéphrine. Désolée, mais surtout angoissée, maman décide de m'emmener à l'urgence de l'hôpital. Ça l'embête tout de même de partir avant Julien. Tout comme moi, elle a peur qu'il rate encore son autobus. Elle l'appelle alors qu'elle m'aide à enfiler mon manteau.

– Julien, je dois partir avec Élizabeth. Je te laisse tout seul. Promets-moi d'être à l'heure pour prendre l'autobus. Je me fie sur toi, d'accord ?

Julien acquiesce d'un air désolé. Il porte son regard sur moi ; son inquiétude me touche. Il enlace ma taille et je le laisse m'étreindre. Il est instantanément excusé. Entre deux respirations saccadées, j'insiste :

– Tu ne manqueras pas ton autobus, promis ?

– Promis, répète-t-il en portant solennellement la main sur son cœur. Et j'irai chercher le parapluie chez Charles-André après l'école.

Maman et moi échangeons un regard satisfait. Elle embrasse mon petit frère en or, avant de me pousser à l'extérieur.

Aux urgences, on me prend rapidement en charge. On branche un petit bidule au bout d'un de mes doigts et, par les voies nasales, je reçois de l'oxygène. L'inhalothérapeute vient me voir et fronce les sourcils en constatant que mon taux d'oxygène est à 93 pour cent.

– Ça va aller, ma puce, me rassure-t-elle. Ce soir, tu seras à la maison. Ton cauchemar sera chose du passé.

– Ce soir ? Mais je dois aller à l'école !

Et j'ajoute un magnifique « Ahan ! » trop bruyant à mon goût, prouvant que je suis à bout de souffle.

– Ne t'en fais pas, on va te donner un billet d'hôpital qui prouvera que tu n'étais pas en mesure d'aller à tes cours. Tu avais un examen ?

– Oui, en quelque sorte. Ça pique, dis-je en lui montrant mes bras, puis en me grattant le front.

Elle hoche la tête en signe de compassion, et s'en va en promettant d'avertir l'infirmière de m'apporter une crème apaisante. Pendant que je me retiens pour ne pas m'arracher la peau, je remarque maman. Elle n'a pas eu le temps de se maquiller. Pauvre elle ! Je ne sais pas si elle a pu se faire remplacer à sa charge de cours. Je me sens fautive de gâcher sa matinée et, probablement aussi, celle de ses étudiants. Je voudrais bien la rassurer, lui dire qu'elle peut partir, que je suis entre bonnes mains, mais je sais qu'une maman ne part pas quand son enfant de 13 ans est à l'hôpital. Elle s'assoit sur ma civière et me prend la main.

– Excuse-moi. C'était idiot d'acheter du beurre d'arachide. J'aurais dû le cacher dans ma garde-robe.

– Ç'aurait été pire, dis-je en riant. Imagine que j'aie voulu te piquer une blouse pour sortir, et qu'elle ait été infestée par l'odeur de beurre d'arachide...

Maman a une mine désolée. Je m'écrie:

– Eh! Ne t'en fais pas. Ce n'est pas de ta faute, c'est à cause de cette stupide allergie!

Son regard m'enveloppe de tendresse.

– Ton prince charmant, celui qui devait t'apporter un lunch, il était au courant de ton allergie ?

Je fais la moue.

– Non, pas du tout.

Maman tique.

– Tu ne trouves pas qu'il serait plus sage d'informer tes nouveaux amis de ton allergie dès le premier jour ?

Une scène se forme dans ma tête. Vivi me présente quelqu'un et je réponds : « Bonjour, je suis enchantée de faire votre connaissance. En passant, je suis allergique aux arachides. » Ce serait peut-être plus simple si je passais le reste de ma vie affublée d'un tee-shirt où il serait inscrit : « Je suis allergique aux arachides ».

Je réponds donc à ma mère :

– Ben faut pas exagérer...

Elle s'impatiente et s'exclame haut et fort :

– Imagine que ton Don Juan ait apporté un truc, ce midi, qui contenait des arachides. Tu pourrais mourir!

Le regard que maman me lance me convainc de suivre ses recommandations à la lettre. Pourtant...

– J'aurais pu mourir à cause de toi, parce que tu as acheté du beurre d'arachide, que je marmonne, trop peureuse pour l'accuser à haute voix.

– Quoi?

– Rien, laisse faire!

Et je reste là, étendue sur mon lit de fortune, attendant que les doses de bronchodilatateur et que les comprimés d'antihistaminiques me soulagent, auprès d'une maman qui envoie des textos toutes les deux minutes à partir de son téléphone mobile, tentant vainement de se faire remplacer à l'université. Aucune de nous deux n'est heureuse d'être ici. D'ailleurs, nous nous sentons prisonnières alors que mon frère, le coupable, est libre. Je suggère :

– Tu pourrais aller donner ton cours et revenir par la suite. De toute façon, je suis bien entourée, dis-je en lui pointant les infirmières. Si tu pars maintenant, tu arriveras juste à l'heure.

Le cellulaire de maman vibre. Elle appuie sur un bouton pour lire le message qu'elle a reçu. Elle se lève, attrape sa veste, se penche pour poser ses lèvres sur mon front.

– Vincent s'en vient. On se voit après mon cours.

Elle fait quelques pas, puis se retourne :

– Tu ne m'en veux pas ?

Je hoche négativement la tête et lui fais signe de partir. Elle ne peut pas s'empêcher de revenir vers moi pour m'étreindre.

Je l'aime, ma mère ! Même si elle mange du beurre d'arachide en cachette.

CHAPITRE 7

LE LIT D'UNE GRANDE SŒUR, C'EST AUSSI SÉCURISANT QU'UN ABRI NUCLÉAIRE

Mon père arrive, habillé comme une carte de mode. Son complet lui va à ravir. J'ai souvent trouvé mon père très élégant, même quand il porte un jean. Il est toujours bien rasé, jamais décoiffé. Il est grand et il se tient très droit, tel un soldat. Il respire la confiance en soi. Et, comme d'habitude, il affiche un air sérieux. Il est tellement différent de maman. Je me demande ce qu'il faisait avec elle.

On dit que les contraires s'attirent et ils en sont la preuve vivante !

– Alors, on s'amuse à faire des crises d'asthme ? me demande-t-il après m'avoir embrassée.

Un sourire en coin se dessine sur ses lèvres. J'aime son humour sarcastique.

– Tu t'es dit que tu n'avais rien à faire aujourd'hui, poursuit-il, et tu as pensé : « Et si je tentais d'annuler le cours de maman à l'université et d'interrompre le déjeuner bien important de mon père ? »

Je blêmis sur le coup. Il me semble que je reprendrais bien une bouffée de cortisone.

– Euh ! Tu étais en réunion ?

Papa acquiesce par un signe de tête.

– J'étais un peu fâché quand j'ai reçu le message texte de Marie-Ève m'avisant que tu étais à l'hôpital, et qu'elle devait aller donner son cours. Tu sais, on ne déjeune pas tous les jours avec le PDG de la Banque mondiale et le premier ministre du Canada.

– Na ! Même pas vrai !

Il prend un air navré qui me fait croire qu'il est peut-être sérieux. Je remarque son regard moqueur qui me détend aussitôt.

– Ne t'en fais pas ! J'étais avec Yvan et Jean-Pierre. On discutait de notre voyage de chasse de la fin de semaine prochaine.

– Tu t'en vas à la chasse en fin de semaine ? dis-je étonnée. Je ne suis pas supposée aller chez toi ?

– Non, pas du tout. On a inversé les prochains week-ends de garde, Marie-Ève et moi. Elle ne t'a pas informée ? demande-t-il.

Dans ma tête, les pensées tournent à 100 kilomètres à l'heure.

– Elle a dû oublier, parce qu'elle a réservé une fin de semaine dans un centre de massage.

– Un centre de massage ? s'exclame papa, surpris.

J'acquiesce d'un signe de tête. L'inhalothérapeute interrompt notre conversation. Elle semble satisfaite de la bonne courbe de mon rétablissement. Néanmoins, elle me redonne une dose de bronchodilatateur. Pendant ce temps, mon père pitonne sur son téléphone portable.

– J'ai envoyé un texto à Marie-Ève pour lui rappeler notre entente.

Et, très fier de lui, il ajoute :

– Je lui ai même offert de lui payer son séjour si elle peut changer la réservation !

Je souris, heureuse. Même divorcés, mes parents sont restés en bons termes. Parfois, on dirait même qu'ils sont les meilleurs amis du monde. Je me demande pourquoi ils ne vivent plus ensemble. Ah oui! Il lui reprochait toujours d'être à la traîne, d'agir comme une éternelle adolescente. Et elle, elle critiquait son mode de vie trop strict et son manque de spontanéité. Elle pensait qu'il s'empêchait de profiter de la vie en se donnant des règles qui, selon elle, nuisaient à son épanouissement. Pourquoi fallait-il absolument faire la lessive et le ménage le samedi matin, alors que dehors, une belle journée s'annonçait?

– Allons marcher à la montagne! s'écriait maman en écartant les rideaux.

– Non, on reste à la maison. On tond le gazon, on ira faire l'épicerie...

Et bla, bla, bla! Habituellement, je me bouchais les oreilles à partir de ce moment. Car, invariablement, la dispute éclatait. Maman obéissait, puis boudait le reste de la journée. Un jour, elle en a eu assez. Elle nous a emmenés à la montagne un samedi, mon frère et moi. On a mangé du gruau pour souper parce qu'elle n'avait pas fait l'épicerie. Je me souviens d'avoir passé une belle journée. Assise à la table de la cuisine, j'étais heureuse. Julien, qui avait trois ans à l'époque, énumérait toutes les choses qu'il avait vues durant notre promenade et, surtout, la mésange qui était venue manger dans sa main. En me couchant, j'ai remercié ma mère pour la belle escapade. Je me rappelle aussi que ce soir-là, mes parents se sont disputés haut et fort. Julien est venu me retrouver dans mon lit. Il a longtemps gardé cette habitude par la suite. Quand il passe la nuit dans mon lit, c'est immanquable : il laisse toujours dans ma chambre ses chaussettes, son oreiller et au moins quatre toutous. Aujourd'hui, il vient encore s'y réfugier lorsque le tonnerre gronde ou quand le vent souffle trop fort. Mais au moins, il n'apporte plus de toutous !

Papa me tire de mes souvenirs.

– À quoi pensais-tu ? me demande-t-il.

– Je suis contente que maman et toi vous soyez réconciliés après votre divorce et que vous soyez devenus amis. J'aurais trouvé ça difficile s'il avait fallu que vous restiez chien et chat, comme au début de votre séparation.

Il prend ma main et la serre entre les siennes.

– Dis, au fait, qu'est-ce qui a causé ta crise d'asthme ?

– Julien a laissé un contenant de beurre d'arachide ouvert sur le comptoir de la cuisine. J'ai dû en manger parce que j'ai utilisé son couteau sans savoir qu'il y en avait dessus.

– Du beurre d'arachide ! s'écrie-t-il, hors de lui. Comment ça se fait qu'il y en a chez ta mère ?

– Elle en mange en cachette.

Mon père est visiblement en colère.

– Attends que je voie Marie-Ève ! J'ai deux mots à lui dire ! Si elle pense que je vais lui payer un week-end à se faire dorloter, elle !

Oups ! Ils se sont peut-être réconciliés, mais ça ne les empêche pas d'avoir une bonne prise de bec de temps en temps. Je sens que Julien viendra me rejoindre dans mon lit, ce soir !

CHAPITRE 8

LE COMBLE DE L'INSOLENCE

À l'école, ce jeudi, je ne croise pas Francis de toute la journée. En fait, aucun élève de deuxième secondaire n'est à l'école aujourd'hui, puisqu'ils ont une sortie au théâtre, et iront ensuite visiter un musée avant de revenir pour la fin des classes.

À 16 heures, je me rends, sans joie, à la cafétéria. C'est là qu'ont lieu les retenues pour tous les élèves. Quelle surprise d'apercevoir Francis, assis au milieu de la salle ! Il semble aussi surpris que moi quand il m'aperçoit. Il me fait un petit signe discret pour m'inviter à m'asseoir à sa table. Je vais le rejoindre sans me faire prier. Il demande en chuchotant :

– Pourquoi es-tu ici ?

– Retard. Et toi ?

– J'ai oublié d'apporter mes vêtements d'éducation physique à un cours.

Ça me rappelle Julien, l'an passé. Pendant deux mois, il n'a pas pu se présenter au gymnase parce qu'il n'avait jamais sa tenue sportive. Son professeur lui remettait des billets, que mon frère oubliait de donner à maman. Ça a duré un certain temps, jusqu'à ce que ma mère reçoive un appel de l'école. Après avoir raccroché, elle a fouillé dans le sac à dos de mon frère. C'est fou les choses qu'elle a trouvées : une vieille pomme pourrie, un contenant de plastique souillé, une barre tendre en mille miettes dans le fond du sac, des devoirs chiffonnés, une lettre d'autorisation à signer pour la prochaine sortie d'école, qui datait d'un mois auparavant et que mon frère se tuait à dire qu'il n'avait jamais reçue et enfin, les huit avertissements de son professeur d'éducation physique.

Maman a bien sûr réprimandé mon frère, puis l'a sommé de préparer sa tenue sportive pour le prochain cours. Mon frère a dû avouer qu'il avait perdu ses vêtements. Dans sa chambre, ma mère a tenté de les retrouver, mais en vain. Vu le fouillis qui y régnait, trouver une aiguille dans une botte de foin aurait été plus facile.

– Peut-être aux objets perdus de l'école ? ai-je suggéré.

Comme j'allais à la même école que mon frère, maman m'a ordonné d'aller y jeter un œil le lendemain. Malheureusement, je n'ai rien trouvé. Je suis allée rejoindre mon frère à son casier et l'ai obligé à l'ouvrir. Je suis restée bouche bée. Quel spectacle désolant! Sur la tablette, j'ai trouvé trois mitaines différentes, une tuque (je dois préciser que nous étions au mois de mai), deux foulards, deux casquettes, un casque de vélo, un roman dans un piètre état, des enveloppes vides de barres tendres et de collations diverses. Rien n'était suspendu aux crochets. J'ai aussi trouvé, dans le fond du casier, un coupe-vent, un chandail de laine, des bottes de pluie, une revue scientifique pour enfants (enfin, ce qu'il en restait), des contenants de plastique pour les lunchs, et, sous ces décombres, le fameux ensemble d'éducation physique.

Pendant que je faisais le déplorable inventaire, mon frère n'arrêtait pas de geindre et me suppliait de cesser mon cirque. Ce qui, de toute évidence, a attiré l'attention de son professeur.

– Mais... Que fais-tu?

– Le ménage du casier de mon petit frère.

C'est à ce moment qu'elle s'est rendu compte de l'ampleur du capharnaüm. Je n'ai jamais eu aussi honte d'avoir un lien de parenté avec Julien. Durant les vacances scolaires, on a remplacé les casiers par de simples crochets, installés dans des compartiments étroits et sans porte. La direction de l'école a peut-être pris cette décision à cause de mon frangin, qui sait?

Francis-l'Adonis touche ma main pour attirer mon attention. Mes souvenirs s'envolent, et la réalité me rattrape. J'entends le grésillement des néons au plafond tant la salle est silencieuse. Je n'ai pas commencé ma copie; il est temps que je m'y mette.

– Psst! fait-il.

Il me passe un billet sous la table. Je cherche le surveillant des yeux. Il se promène, de table en table, loin de nous. Je m'empare du morceau de papier:

«J'ai entendu dire que tu as été malade hier? Tu as raté le bon dîner que j'avais apporté.»

Je souris, touchée. Je commence ma copie: «Je ne serai plus jamais en retard.» Après avoir écrit la phrase 20 fois, un élan d'audace me pousse à le questionner par écrit, sur le bout de papier:

«On se reprend, pour le dîner?»

Le surveillant est toujours loin: le champ est libre. Francis ne semble pas surpris du retour du billet. Il griffonne rapidement quelques mots.

«Et si on allait plutôt au cinéma ensemble, demain soir?»

Mon cœur s'emballe devant cette invitation. Tout heureuse, je réponds par l'affirmative et lui tends le papier. Mais juste avant qu'il s'en empare, je le reprends et j'en profite pour lui rappeler la fête d'Halloween que j'organise chez moi. Maman a réussi à déplacer sa réservation pour le prochain week-end et tout se déroule presque parfaitement. Elle m'a même offert de m'aider à décorer le sous-sol. Je remets le billet à Francis. Il le parcourt et écrit une réponse. Je trépigne d'impatience. « Je n'ai pas oublié ! Besoin d'aide pour préparer la fête ? » Je griffonne que je n'en sais rien. En relevant la tête vers lui pour lui tendre le morceau de papier, je le vois, penché sur sa copie, écrivant avec vigueur. Zip ! On m'arrache le billet des mains. Fichtre ! Je tourne au rouge, sentant la présence du surveillant dans mon dos. Il est évident qu'il est en train de lire nos messages. Il prend sans politesse mon crayon, et griffonne sur le même bout de papier :

« Après avoir écrit vos 200 premières phrases, vous écrirez 100 fois : « Je respecte les consignes lorsque je suis en retenue. »

Ouf ! C'est moins pire que ce à quoi je m'attendais. Je fais un signe de la tête et me penche sur mon travail.

– Ton copain aussi ! chuchote-t-il.

Voyant que je ne comprends pas ce qu'il insinue, il me fait signe de remettre le billet à Francis. J'hésite. Ce doit être le merveilleux petit sourire en coin de Francis qui me pousse à être insolente :

– Je ne peux pas le lui donner, monsieur ! On n'a pas le droit d'échanger des messages !

Ses gros yeux me font regretter aussitôt mes mots. J'ai honte de mon audace et mes joues rouge tomate le prouvent. Je devrais m'en tenir à mon rôle de jeune fille polie : il me sied bien mieux !

CHAPITRE 9

LE DÉGUISEMENT IDÉAL

Dès que j'entre chez moi, je crie :

– Maman ! Je peux aller au cinéma, demain ? Maman ? Où es-tu ?

– Dans la cuisine !

Je me déchausse, puis sautille par-dessus le sac à dos de mon frère, ses souliers ainsi que ceux de ma mère, et je prends bien soin de ne pas me prendre le pied dans la bandoulière du sac à main qui trône au beau milieu du passage.

Julien et ma mère sont assis à la table. Sur celle-ci, une centaine de photos sont éparpillées.

– Oh ! Qu'est-ce que vous faites ?

– Un devoir, répond mon frangin. Je dois présenter ma famille et j'ai pensé joindre des photos à mon texte.

Je fusille Julien du regard :

– Tu devras avoir mon autorisation pour les photos sur lesquelles j'apparais, d'accord ?

Il hausse les épaules, tandis que maman m'en tend une parmi le lot.

– Oh ! Regarde comme tu es mignonne sur celle-ci !

Je m'en empare, et je suis aussitôt envahie par la même mélancolie que ma mère.

– Oh ! Je l'aimais tellement, cette poupée !

Je me souviens que je l'avais apportée chez mes grands-parents lors d'une visite. Mon frère, quant à lui, avait pris ses petites autos dans un sac de plastique. Après souper, les adultes jouaient souvent aux cartes, c'est pourquoi maman nous recommandait toujours d'apporter des jouets afin de nous occuper. À la fin de la soirée, nous avons dû ranger nos choses. Comme le sac de mon frère était brisé, il en a vidé le contenu dans le mien, y compris une boîte de jus de raisin encore à moitié pleine, qui s'est renversée sur ma belle poupée, la tachant à jamais.

– Je peux aller au cinéma, demain?

– Avec qui? fait-elle, en bonne enquêteuse.

– Euh! Avec Vivi.

Je ne sais pas pourquoi je mens. Peut-être pour éviter les taquineries. Ou encore parce que j'ai peur qu'elle refuse que je sorte seule avec un gars qu'elle ne connaît pas. Oh! Flûte! Je viens de penser que maman parlera sûrement à Diane et qu'elles discuteront entre elles de cette sortie. Je cours téléphoner à mon amie.

– J'ai très envie d'y aller avec Francis et toi! fait Vivianne, enthousiaste.

– Mais non! Tu n'as rien compris, cruche! Je veux que tu me couvres!

Parfois, la logique lui fait défaut et ça m'énerve!

– Euh ! Je vais avec vous deux ou pas ? Si je dis à mes parents que je vais au cinéma avec toi, il faut que je sorte de la maison et que je revienne deux heures plus tard, non ?

Là, j'avoue, c'est mon raisonnement qui a des ratés.

– Je n'avais pas pensé à ça.

– Et si on y allait en bande, ce serait moins gênant pour lui et pour toi, non ?

Je trouve qu'elle a raison. Mais qui inviter ? Elle suggère :

– Je vais téléphoner à Chloé, Maude, Xavier, Pierre-Olivier et Paméla.

Je réplique aussitôt :

– Pas Paméla !

– OK ! Pas Paméla. Mais si j'invite Maude, elle le dira à Paméla !

– Pas Maude non plus, d'abord !

J'ai l'impression d'agir comme une gamine gâtée. Je veux simplement défendre mon territoire. Ah! Et puis zut!

– Allez, invite-les! dis-je dans un soupir. On va toujours magasiner nos costumes d'Halloween après souper?

On se retrouve donc, elle et moi, quelques heures plus tard, entassées dans la voiture de ma mère avec mon frère. Courir les friperies m'enchante. Je ne sais pas encore comment je vais me déguiser.

– Il paraît que Francis sera déguisé en Amérindien, dit-elle.

– Ah oui? Qui t'a dit ça?

– Paméla.

J'arrive presque à grincer des dents en demandant:

– Tu as parlé de la fête à Paméla?

– Bien, euh! Elle est dans ma classe et... j'en ai aussi parlé à Maude et à Chloé...

Ça y est ! Je réussis parfaitement à grincer des dents, sans effort. Je prends une longue inspiration en me promettant de m'occuper de ce problème plus tard. Par ailleurs, si Francis est déguisé en Indien, je dois donc m'habiller en Pocahontas ! Ça y est, je suis décidée ! Je me mets donc à la recherche d'une robe traditionnelle autochtone ou de quelque chose qui y ressemble. Maman est enchantée. Elle pense avoir des mocassins, quelque part au fond de son placard. Il me faut aussi du fond de teint, pour rendre ma peau plus foncée, et une perruque aux cheveux noirs, que je trouve facilement. Malheureusement, la robe reste introuvable.

– Ne t'en fais pas, me rassure maman, plus tard dans la voiture, alors que nous retournons à la maison. Je suis certaine qu'une copine de l'université a ce que tu cherches. Je vais lui envoyer un courriel.

Sur la banquette arrière, mon frère joue avec le téléphone portable de maman. Il essaie toutes les sonneries programmées et ça m'impatiente royalement.

– Julien ! Arrête de jouer avec le cellulaire de maman !

On ne s'entend même plus penser. C'est infernal.

– J'aime bien mon costume, commente Vivianne.

Elle a choisi de s'habiller en diseuse de bonne aventure. Dans son salon, il y a un bibelot en forme de boule qui peut très bien lui servir. Elle pense même installer une table, où elle tentera de prédire notre avenir ! Oh ! Pourvu qu'elle y arrive, et m'annonce que je serai l'élue du cœur de Francis !

CHAPITRE 10

PARFOIS, J'AI HONTE !

Francis et Vivi doivent me rejoindre chez moi vers 18 heures, avant de partir pour le cinéma. Nous retrouverons les autres là-bas. Le fait que mon amie arrive en même temps qu'un garçon ne devrait pas semer le doute dans la tête de ma mère, et je sais qu'elle se retiendra de tout commentaire quant à sa présence.

Ils sonnent à ma porte avec une avance de 15 minutes. Je ne suis malheureusement pas prête. J'ai pris ma douche sur un coup de tête avant le souper, pensant que ce serait une bonne idée. Malheureusement, je n'ai trouvé ni le peigne ni la brosse à cheveux. Impossible de me sécher les cheveux sans les démêler.

– Ils ne sont pas dans le tiroir de la salle de bain ? s'est étonnée maman, qui m'a annoncé du même coup que le souper était prêt.

Je suis certaine que c'est mon frère le coupable, mais il n'avouera jamais. Quand il prend sa douche, il laisse la pièce dans un état d'après-séisme. Sa serviette gît sur le sol, à côté de ses vêtements sales. Le tube de dentifrice est décoiffé de son chapeau, le lavabo est sali parce qu'il ne l'a pas rincé après s'être brossé les dents. Il a la mauvaise habitude de secouer la tête, tel un chien mouillé, et asperge le miroir qui en demeure taché. En général, il laisse le peigne et la brosse sur le comptoir. Or, ils n'y sont pas, ni dans le tiroir, ni sous l'évier, ni dans le panier de linge sale. J'ai jeté un œil dans sa chambre et, vu la quantité de traîneries qui couvrent toutes les surfaces horizontales, il serait plus simple d'aller à la pharmacie pour me procurer une nouvelle brosse et un nouveau peigne que de tenter de les retrouver dans ce capharnaüm.

J'ai pris tellement de temps à chercher que je n'ai même pas eu le temps de manger. En fait, quand j'ai enfin décidé de manger une bouchée, j'ai trouvé la brosse dans le tiroir des ustensiles de cuisine! Mes cheveux étaient dans un état lamentable, puisqu'ils avaient séché pêle-mêle.

– Qu'est-il arrivé à tes cheveux ? demande Vivi en m'apercevant.

– Entrez, dis-je d'un ton bourru. J'en ai pour cinq minutes.

En apercevant mon reflet dans le miroir de la salle de bain, j'ai bien l'impression que j'en aurais pour trois heures tant mes couettes retroussent de tout bord, tout côté. Je brosse, démêle, tente d'amadouer mes cheveux avec le fer plat. Finalement, j'arrive à un résultat presque satisfaisant en dix minutes. Je retrouve donc mes amis à la cuisine. Horreur! Ils sont en train de regarder les photos qui jonchent la table de cuisine depuis hier. Mon frère a terminé son devoir, mais n'a, bien sûr, rien ramassé.

– C'est toi? demande Francis en me tendant une photo.

Misère! C'est bien moi, âgée de 18 mois, assise sur un petit pot. Quelle humiliation! Mais pourquoi les parents prennent-ils des clichés de leurs enfants en train de faire leurs premiers pipis dans un pot? Je rougis et balbutie:

– C'est mon frère.

Francis y regarde de plus près.

– Ta mère faisait des lulus à ton frère et lui mettait des rubans?

Je lui arrache la photo des mains.

– Bon, allez, on s'en va !

– Tu suçais ton pouce ? demande ma charmante amie en examinant une autre photo.

– Montre ! s'exclame Francis.

Je n'ai pas le temps d'interrompre l'échange. Il me découvre, vêtue seulement d'une couche, une doudou dans une main et mon pouce dans la bouche.

– Oh ! C'est très drôle !

Je sombre dans la déchéance la plus totale. J'aimerais être une fourmi, me cacher dans un tout petit trou et ne plus jamais en sortir.

– Moi aussi ! poursuit-il dans un grand rire.

– Toi aussi quoi ? que je demande avec mon air le plus ahuri.

– Moi aussi j'avais une doudou et je suçais mon pouce. Mes parents ont une photo semblable de moi. Il faut que je la retrouve un jour pour te prouver à quel point on se ressemble.

« Qui se ressemble s'assemble », selon le dicton, n'est-ce pas ? C'est donc avec le cœur léger et enthousiaste que j'invite mes amis à partir de la maison. Mais, juste avant, maman m'interpelle de son bureau :

– Babette ?

Je croise le regard narquois de Francis, qui répète : « Babette ? » comme si c'était le mot le plus loufoque de la langue française. Retour de l'humiliation qui scie mon humeur joyeuse.

– Je ne trouve pas mon soulier, marmonne Vivi en fouillant dans la pile de chaussures dans l'entrée.

Ah ! Si ma mère et Julien pouvaient se ramasser, ce serait moins gênant. Maman trottine gaiement vers nous en cherchant visiblement quelque chose dans son sac à main.

– Tu devrais prendre mon téléphone cellulaire. Comme ça, quand le film sera fini, tu pourras m'appeler et j'irai vous chercher. Voyons, où est-ce que je l'ai mis ?

J'ai envie de dire à maman de profiter de la soirée pour faire du ménage dans le vestibule, mais je me retiens à temps. Pour une fois, mon insolence ne prend pas le dessus ! Je vais me souvenir de ramasser ce fouillis demain, avant le party. Vivianne est toujours à farfouiller à travers sandales, pantoufles, bottes, espadrilles, bottes de pluie, escarpins.

– Oh ! Je l'ai ! s'exclame-t-elle, alors que maman, elle, a toujours le nez plongé dans son sac à main. Zut !

– Babette ? répète Francis, en affichant un air moqueur.

Je lève les yeux au ciel ! Flang ! Maman a décidé de retourner son sac à l'envers afin de retrouver son fichu téléphone. Elle aurait dû me donner 50 cents et j'aurais pu appeler d'une cabine téléphonique. Ç'aurait été plus rapide et nous aurait épargné ce pitoyable spectacle. À moins qu'elle ne se souvienne pas que les téléphones publics existent.

– Enfin, le voilà !

Et moi, je suis archi gênée ! J'attrape l'appareil et sors la première de chez moi. Comme on referme la porte, maman l'ouvre et crie :

– Babette ! Regarde bien des deux côtés de la rue avant de traverser ! Et puis restez toujours ensemble ! N'oubliez pas de descendre de l'autobus au bon arrêt, soyez vigilants et... Ah ! Attendez-moi donc ! Je vais aller vous reconduire !

– Maman ! On a dix minutes d'autobus à faire ! On est capables !

Je suis exaspérée ! Et l'autre qui répète avec un ton ironique :

– Babette ? C'est drôle comme surnom, Babette !

– C'est ainsi qu'on l'appelle tout le temps, explique Vivi, en lui emboîtant le pas. Tu ne m'as jamais entendue le dire ?

– Non. En fait, je n'ai pas remarqué, explique-t-il. Moi, j'aime mieux Éli.

Il jette un œil sur moi, avec un petit air gêné. D'un coup, je le trouve craquant et j'oublie aussitôt la scène que je viens de vivre dans le vestibule, chez moi. Celle-ci vaut davantage la peine d'être gravée dans ma mémoire !

CHAPITRE II

C'EST DRÔLE, LES FILMS D'HORREUR !

La bande de Paméla-la-retardataire n'est pas au cinéma quand nous arrivons.

– Eh bien moi, je vais aller m'asseoir pendant qu'il y a encore de bonnes places, dis-je, impatiente.

Francis décide de me suivre tandis que Vivi me demande de garder quelques places près de nous. Après m'être assise, pas une minute ne s'écoule avant que l'homme le plus grand et le plus gros de la planète ne s'installe devant moi. À droite de Francis, il reste deux bancs inoccupés. De mon côté, la rangée est libre.

Je dois changer de place tout de suite. De plus, si je ne bouge pas, la possibilité que Paméla-la-colleuse s'assoie à côté de Francis est réelle. J'empoigne la main de Francis et le pousse à se déplacer, ne laissant plus aucune possibilité à cette chipie de s'asseoir à ses côtés.

– Allô ! fait une voix familière.

Ciel ! C'est Paméla-la-voleuse-de-siège et ses acolytes qui arrivent ! J'ai agi à temps ! Fiou ! Cependant, elle nous demande de rechanger de place afin de s'asseoir près de Francis. C'est très embarrassant de refuser. Quel prétexte invoquer ? Vivi me sauve la vie :

– Oh ! Merci de nous avoir gardé des places, me lance-t-elle. Viens t'asseoir à côté de moi, Pam ! Nous pourrons partager le pop-corn que j'ai acheté pour nous deux.

Vivi ne lui laisse aucune chance et l'oblige à passer devant pour aller s'asseoir... derrière le géant. C'est donc elle, Paméla-la-perdante, qui se dandinera de gauche à droite pour voir le film ! Hi ! hi ! Je sens que je vais bien m'amuser durant ce film d'horreur !

Le scénario, pourtant, ne me fait pas rire du tout. Je suis même très angoissée. Freddy, le personnage principal, entre sans bruit dans une maison. Je suis crispée et je tiens mes poings sur mes lèvres. Je suis très surprise quand Francis me prend une main et me chuchote à l'oreille :

– Relaxe, ce n'est qu'un film.

Dès lors, je perds le fil de l'histoire et me concentre sur sa main qui tient la mienne. Mais cet instant est de courte durée. Tout à coup, quelques notes de piano retentissent, puis Gloria Gaynor s'époumone :

« At first I was afraid,

I was petrified...»

C'est la panique ! Et elle ne se passe pas dans le film, mais bien dans la poche de mon manteau, où le téléphone cellulaire de ma mère retentit. Catastrophe ! C'est probablement la dernière chanson que mon frère a gardé en mémoire pour la sonnerie. Quel choix ! C'est tout à fait de mise alors que Freddy a le regard menaçant en découvrant que son chalet est occupé par de jeunes gens. Je cherche frénétiquement la source de mes problèmes afin de faire taire ce vacarme le plus vite possible. Les gens assis près de moi soupirent, même le géant qui me fait bien plus peur que Freddy.

Francis me nuit en tentant de m'aider à trouver le cellulaire de ma mère. Il est aussi stressé que moi. Quand enfin je mets la main sur le téléphone, Gloria scande :

« I will survive ! »

À l'écran, Freddy attaque ses victimes. Je suis vraiment mal à l'aise quand j'appuie sur le bouton de réception d'appel. Je chuchote un « Allô ! » le moins fort possible.

– Babette ? dit maman. Je voulais simplement m'assurer que tu étais bien rendue au cinéma.

Je marmonne, les dents serrées :

– Oui, oui, maman !

Ça devait plus ressembler à « Mmm ! mmm ! m'man ».

– J'ai oublié de te dire de baisser la sonnerie au cas où le téléphone sonnerait.

– Mmm ! OK ! Bye !

Vlan, je raccroche illico ! C'est impossible pour moi de me concentrer à nouveau sur le film. Encore moins sur mon compagnon, qui n'a pas osé reprendre ma main après l'incident. Il doit être mort de honte et j'imagine qu'il tente de trouver une solution pour faire semblant de ne pas me connaître. Peut-être se faufilera-t-il à quatre pattes entre les rangées de bancs afin de s'enfuir. Soudain, je l'entends qui se retient de rire. Je lui jette un regard surpris en me demandant s'il n'est pas plutôt en train de s'étouffer. Mais non ! Il a un grand sourire. Il se penche vers moi et répète, tout en pointant l'écran : « I will survive ! » alors que l'actrice principale a eu raison de Freddy. Mes craintes s'envolent, je retiens moi aussi une folle envie d'éclater de rire. Vivianne, dont j'avais presque oublié l'existence, se penche vers nous et veut connaître la raison de notre hilarité. Le film est pourtant angoissant.

– Et d'un ennui total, ajoute Vivi en sortant de la salle. Je déteste les films d'horreur.

Francis, affichant son merveilleux sourire, désapprouve :

– C'était le film le plus drôle que j'ai vu de toute ma vie !

– Eh ! Francis ! crie Paméla-la-tache. Attends-moi !

J'enfile mon manteau en grognant. Elle nous rejoint, presque en courant. Je sens que ma soirée avec Francis se terminera ici. Il flanchera sans aucun doute pour elle : elle semble tellement plaire aux garçons !

– On s'en va boire un chocolat chaud à la beignerie. Tu viens avec nous ?

« Nous » ne m'inclut pas, c'est évident. Il s'agit sûrement de la bande qui suit aveuglément Sa Majesté, en l'occurrence Maude, Chloé et Stéphanie. Cette dernière s'approche de moi :

– C'est vrai que tu organises un party d'Halloween demain soir?

Tous me regardent, attendant l'invitation officielle.

– Justement, nous allions chez moi pour préparer la fête, dis-je en regardant Francis, en espérant qu'il comprenne à demi-mot.

– Euh... ouais ! Justement, j'allais chez Élizabeth.

Comme nous leur tournons le dos, Maude s'informe :

– À quelle heure devons-nous arriver chez toi, demain ?

Je foudroie Vivi du regard. Elles sont dans la même classe. Je lui laisse donc le soin de répondre. Je lui demande à l'oreille :

– Au fait, combien de personnes as-tu invitées ?

Elle me confie, d'un ton penaud, que toute sa classe est au courant.

– Quoi ?

Afin de m'éviter de commettre une bêtise, Francis bredouille :

– Tu ne devrais pas appeler ta mère avant qu'elle ne s'inquiète ? Elle devait venir nous chercher.

J'ai bien plus envie d'étrangler Vivianne et lui rappeler ainsi les scènes d'horreur que nous venons tout juste de voir.

CHAPITRE 12

L'ART DE PASSER L'ASPIRATEUR, SELON JULIEN

Assis autour de la table de la cuisine, Francis, Vivi et moi faisons la liste des choses dont nous aurons besoin pour que la fête soit réussie. Croustilles, boissons gazeuses, bonbons...

– Et la décoration ? demande maman qui nous rejoint, transportant un panier de lavage.

– Tu ne vas pas plier les vêtements, là, pendant qu'on discute de la fête ? dis-je, outrée.

Ma mère s'installe, faisant fi de ma protestation.

– Si je prends de l'avance sur mes tâches ménagères, je vais pouvoir vous aider à décorer demain et à faire les courses.

Je lui accorde un point. N'empêche que je trouve très gênant qu'elle exhibe mon pantalon de pyjama orné d'oursons.

Les idées ne manquent pas, même que j'apprécie celles de maman, qui en a tout plein.

– On pourrait trouver de la musique d'outre-tombe et la faire jouer dans l'entrée, propose-t-elle. Ainsi, tes amis seront très bien accueillis quand ils arriveront.

– Oui, mais ça monopolisera le lecteur CD, dis-je avec une moue, car la suggestion me plaisait.

– J'apporterai ma chaîne stéréo, propose Francis. J'aimerais bien m'occuper de la musique, ajoute-t-il avec enthousiasme.

– Il faut trouver l'éclairage parfait, déclare maman en pliant un sous-vêtement qui m'appartient.

Comment peut-elle brandir une petite culotte sans gêne devant mes amis ? Sur la pile de vêtements dans le panier, j'aperçois un de mes soutiens-gorge. Je n'ai aucune envie que mes amis soient présents quand elle s'en emparera. Je suggère :

– Venez, on va aller voir ce qu'on peut faire et comment on placera les meubles.

– Je crois avoir des ampoules de couleur dans l'armoire, en bas ! s'exclame maman, qui nous suit.

J'avais oublié que j'aurais à faire le ménage avant de commencer à décorer la salle de jeu. Il me semble que la pièce est dans un état pire que hier. J'aperçois mon frangin, qui ne semble pas se rendre compte de notre présence, occupé qu'il est par son jeu vidéo.

– Maman ! Peux-tu obliger Julien à ramasser ses cochonneries ? C'est vraiment gênant !

– C'est un détail. Ramasser va prendre deux minutes demain, répond-elle. Pensons à comment décorer la pièce.

– Deux minutes, mon œil ! Ça va prendre une éternité ! Julien ! T'es trop traîneux ! Ramasse donc au fur et à mesure ! Ça nous éviterait des corvées supplémentaires !

Il ne cille même pas : son jeu le captive trop. Je lève les yeux au plafond.

– Je viendrai t'aider, me promet Francis, ce qui me console largement.

Malheureusement, le lendemain matin, quand il arrive avec sa chaîne stéréo, il m'apprend :

– Je suis désolé, mais je ne peux pas te donner un coup de main comme promis. Mes parents m'ont demandé de travailler au magasin et je ne peux pas refuser. C'est vraiment poche, non ?

Petit moment de plaisir : je comprends qu'il aurait préféré être chez moi à préparer la fête plutôt que de gagner des sous à l'épicerie de ses parents. Agréable, comme sensation ! Je le raccompagne à la porte. Alors qu'il met son manteau, il me demande :

– Comment seras-tu déguisée ?

Lui dire, ou pas ? Je bredouille :

– Je ne sais pas encore.

– La fête est ce soir et tu ne sais pas encore ?

C'est trop évident quand je mens.

– Je garde le secret ! que je lui réponds alors.

Hier, maman a rapporté une magnifique robe, digne de Pocahontas. Comme prévu, une collègue de travail en possédait une. Si je confie à Francis que je sais comment il sera habillé, et que j'ai choisi mon déguisement en fonction du sien, il n'y aura plus aucune surprise. Je préfère qu'il découvre au moment même que je serai sa princesse d'un soir ! Mon Dieu que je suis romantique ! Je me demande même si je ne suis pas plutôt en train de sombrer dans le quétaine ! Il faudrait que j'en glisse un mot à Vivi afin de lui demander son avis.

– Allez, ciao ! fait-il en me lançant un superbe clin d'œil (et je n'exagère pas) alors que Vivianne et sa mère arrivent ensemble.

J'invite les nouvelles venues à me suivre au sous-sol. Fait étonnant, j'ai même envie d'aller chercher mon appareil photo afin d'immortaliser le moment, car mon frère passe l'aspirateur ! Il faut quand même que je trouve à redire :

– Tu devrais ramasser tes jeux vidéo au lieu d'en faire le tour.

– Hein ? fait-il.

Je ne prends pas la peine de répéter, de toute façon, le bruit de l'aspirateur en marche est trop fort. Je me penche pour ramasser ses CD de jeux.

– Je vais le faire après, crie mon frère.

Comment peut-il avoir l'idée de passer la balayeuse en premier et de ramasser ensuite ? Je l'observe en train de contourner un sac de croustilles, puis une canette de soda. Je suis bouche bée. Maman me tire par le bras.

– Laisse faire ! Il fait déjà un gros effort.

Misère ! Il passe l'aspirateur sur la table en ne prenant pas la peine de déplacer la télécommande. C'est pathétique : on a dû oublier de lui enseigner l'art de l'époussetage.

À midi pile, la pièce est fin prête à recevoir mes amis. Tout est parfait ! Maman invite Vivi et sa mère à rester pour le dîner. Malheureusement, la cuisine est dans un état lamentable. C'est très gênant. Le bol de gruau de mon frère est toujours sur la table. Il sera croûté à jamais, ce bol ! Il aurait dû le rincer tout de suite après son repas. La confiture, une boîte de céréales, le sac de pain ouvert ont été laissés sur le comptoir, à côté du lait qui doit être maintenant chaud et bon à jeter. Et tout ça se trouve dans un tas de miettes de pain.

– Julien ! gronde maman. Tu aurais pu ramasser ton déjeuner.

– Ben ! Tu m'as demandé d'aller te rejoindre au sous-sol quand j'aurais fini de manger.

Ce qui est le plus étonnant, c'est de constater que mon frère a fait ce dégât tout seul et qu'il a bel et bien mangé des rôties, des céréales et du gruau. Il est gros comme un pou ! Son appétit m’étonnera toujours, tout comme son talent pour mettre une pièce dans un tel état. C’est… inouï!

CHAPITRE 13

LES DERNIERS PRÉPARATIFS

Maman a les traits tirés quand Vivianne et sa mère nous quittent après le repas. Je le remarque alors que nous nettoyons la vaisselle en silence.

– Tu n'aurais pas envie d'aller faire une sieste ?

Maman approuve d'un signe de tête, puis renchérit :

– C'est une bonne idée. On ira faire les courses plus tard, si ça ne te dérange pas. Nous avons amplement le temps.

Alors que j'essuie un verre, je propose :

– Tu sais, tu peux me laisser de l'argent et j'irai à l'épicerie du coin.

– Toutes ces boissons gazeuses à rapporter, ce sera bien trop lourd !

Mmm ! Elle a raison.

– Est-ce qu'on a encore le petit wagon rouge dans lequel Julien s'assoyait, et que tu traînais quand il était petit ?

– Je pense l'avoir vu dans la remise. Pourquoi ?

– Je vais m'en servir pour aller faire l'épicerie. Repose-toi. Ce soir, nous allons faire du bruit et tu ne pourras pas te coucher tôt.

Elle approuve de la tête en souriant. N'empêche qu'elle me taquine :

– Une grande fille de 13 ans comme toi n'a-t-elle pas peur de s'afficher avec une wagonnette d'enfant ?

– Pfft ! Tu ne sais pas de quoi je suis capable pour réussir cette fête !

« … Et pour aller à l'épicerie voir le beau Francis. » Mais ça, je ne le dis pas. Maman me jette un regard attendri.

– Tu es bien responsable, ma grande fille ! Je suis fière de toi. Au fait, tes amis… À quelle heure comptent-ils partir ?

J'ose demander :

– Onze heures ou minuit ?

Elle tranche :

– Dix heures.

Je fais la moue. C'est pour les bébés, dix heures ! Pour l'amadouer, et lui signifier qu'elle m'en doit une, je joue le grand jeu :

– Tu me donneras de l'argent pour que j'aille acheter ce médicament contre les allergies. J'ai encore un peu d'urticaire.

Se sentant coupable, maman concède :

– Va pour 11 heures... Mais pas une minute de plus.

Je savoure ma petite victoire en rangeant la vaisselle propre.

– Euh ! Pourquoi le jus d'orange est-il dans l'armoire des verres ? Julien ? Julien !

Maman m'apprend qu'il est chez son ami. Grrr ! Il s'est encore enfui chez Charles-André au lieu de nous aider à faire la vaisselle !

Je rencontre Francis au magasin d'alimentation de ses parents. Il m'aide même à remplir mon panier d'épicerie en m'indiquant les meilleurs choix afin de respecter mon budget. À la caisse, sa mère insiste pour me donner deux gros sacs de bonbons d'Halloween à partager avec les invités. Je la remercie chaleureusement.

– Ça me fait plaisir, Élizabeth !

Tiens ! Elle connaît mon prénom. Francis lui a-t-il parlé de moi ? Hum ! C'est plutôt bon signe, non ?

– Francis, va aider ton amie à rapporter tout ça chez elle. Mais reviens ensuite, parce qu'il reste encore un peu de boulot pour toi.

– Oui, maman ! dit-il en s'élançant pour aller chercher son manteau.

J'ai omis de dire que je n'avais pas besoin d'aide et que j'avais une voiturette d'enfant pour transporter mes provisions. Je suis bien trop contente d'avoir Francis pour moi toute seule ! D'ailleurs, il n'émet aucun commentaire sur la wagonnette et s'offre même pour la tirer. Je lui décris les décorations et il me raconte sa journée au boulot. Rendus chez moi, il me donne un coup de main pour entrer mes achats.

– Merci, mais chut ! Ma mère est couchée.

– Elle est malade ? s'informe-t-il.

– Mais non, voyons ! Maman n'est jamais malade. Elle est juste fatiguée.

Au sous-sol, où nous descendons sur la pointe des pieds les friandises, les jus et les boissons gazeuses, Francis s'exclame :

– Wow ! Cool, la déco ! C'est original, ces petits fantômes !

– Ma mère et celle de Vivi se sont amusées à bricoler, ce matin.

– En tout cas, j'ai vraiment hâte ! C'est gentil de m'avoir invité, lance-t-il avant de partir.

– Tout le plaisir est pour moi, dis-je trop rapidement à mon goût, faisant allumer un feu sur mes joues.

Misère ! J'ai le don de me mettre dans des situations embarrassantes. J'aimerais ordonner à mes joues de ne pas s'enflammer aussi facilement.

– Bon, ben... bye ! conclut-il en ouvrant la porte.

– C'est ça. Bon... bye !

Aussi bien refermer la porte derrière lui avant d'ajouter une autre absurdité qui aurait pu ressembler à « bon débarras, bye ! ». Je suis un cas désespéré !

Avant de trop m'apitoyer sur mon sort, je retourne en bas. Je place une nappe de papier sur une table. Puis, j'emplis deux grands bols de bonbons et décide de ne pas ouvrir tout de suite les sacs de croustilles. J'essaie de ne pas faire de bruit en vidant dans les glacières les sacs de glace que j'ai achetés à l'épicerie. Je mets ensuite les boîtes de jus et les canettes de soda bien au froid. Je recule d'un pas et m'assure que je n'ai rien oublié. Ah oui ! Les muffins ! Vivianne m'a invitée chez elle pour les cuisiner puis les décorer.

CHAPITRE 14

ENFIN ! LE PARTY !

Je reviens chez moi, avec Vivi et nos muffins au chocolat dont je suis particulièrement fière. Au début, je trouvais que mettre de petits gâteaux sur la table de buffet n'était bon que pour les fêtes d'enfants. Mais Diane a tellement insisté que je me suis laissé convaincre. Elle nous a aidées à préparer le glaçage avec du colorant alimentaire orange et j'avoue m'être bien amusée à décorer les muffins.

Maman ne semble pas encore levée quand Vivi et moi arrivons. Au sous-sol, j'entends des bruits provenant des jeux vidéo de mon cher frère. Puis, je perçois différentes voix. Mon amie est tout aussi inquiète que moi.

– Ton frère a l'air de faire une fête ! dit-elle.

J'ai soudain affreusement peur qu'il ait commis une bêtise. C'est tout juste si nous ne déboulons pas l'escalier qui mène en bas. J'ai l'impression d'entrer dans un cauchemar. Je ne peux m'empêcher de crier :

– Julien ! Comment as-tu osé ?

Les sacs de croustilles sont éventrés, des enveloppes de bonbons ont été abandonnées sans égard et des canettes traînent ici et là. C'est simple : la belle table de victuailles que j'ai préparée plus tôt ressemble maintenant à un champ de bataille après le passage de deux armées ennemies.

Pow !

C'est le bruit d'un ballon qui éclate sous le poids de mon frère. Et ce n'est pas le premier, semble-t-il. Lui et ses

amis s'en sont donné à cœur joie. Les manteaux de ses copains traînent par terre, pas loin de la piste de course électrique qu'ils ont érigée et sur laquelle ils s'amusent à faire rouler des voitures performantes. En fait, un tas d'autos ornent le plancher. Il y en a partout. Je m'en rends compte quand je mets le pied sur l'une d'elles et que je me retrouve sur le dos en poussant un cri de rage.

Attirée par mes protestations, maman descend, les cheveux en bataille. Visiblement, je l'ai réveillée. Je suis bien trop en colère pour m'excuser.

– Julien, fait-elle d'une voix posée, je crois qu'il est temps que tes amis s'en aillent. Mais avant, je veux que vous ramassiez tout ça, ajoute-t-elle en désignant le jeu de course automobile. Ensuite, tu prendras ton argent et tu iras acheter des ballons que tu gonfleras tout seul.

– Et tu achèteras des chips, aussi, dis-je avec amertume, sur le bord des larmes.

En silence, Julien et ses amis s'activent au ménage. C'est moins grave que je l'aurais cru. Même Vivianne m'assure que ça ira. Quand la salle nous semble convenable, nous montons enfin toutes les deux à ma chambre.

– Je vais aller me changer dans la salle de bain, m'annonce-t-elle en s'emparant, sans conviction, de son déguisement.

Dans le vestibule, j'entends discuter les garçons qui se préparent à partir. L'un d'eux s'exclame :

– En tout cas, c'était vraiment le fun !

J'ai envie de sortir de ma chambre pour rouspéter. Mais un autre propose aussitôt :

– Eh ! C'est pas juste si Julien est le seul à payer pour le dégât qu'on a fait. On devrait tous se cotiser pour acheter les chips de sa sœur.

Surprise, je hausse les sourcils et approche en douceur de la porte de ma chambre pour mieux entendre leur conversation.

– Moi, j'ai 50 cents dans mes poches.

– Et pis moi j'ai deux dollars !

– On va aller avec toi à l'épicerie, offre Charles-André, dont je reconnais la voix. On va aussi t'aider à gonfler les ballounes.

Un autre rit et s'exclame :

– C'était vraiment drôle de les faire péter ! On s'est bien amusés !

Je m'attendris. Ma colère s'est envolée comme par magie. Cette solidarité pour réparer les pots cassés est quand même étonnante de la part d'enfants de 10 ans. Je vais retrouver ma mère dans son bureau et lui raconte la conversation que je viens de surprendre. Puis, je lui demande :

– Dis, les ballons qu'ils ont fait éclater, ça ne t'a pas réveillée ?

– Je me suis endormie avec les écouteurs de mon iPod dans les oreilles.

– Depuis quand as-tu un iPod ?

– Ça m'aide à m'endormir et à penser à autre chose.

– À autre chose que quoi ? Ta thèse ?

Maman se lève, s'empare de sa tasse de café, sans doute celle de ce matin. En s'en allant la porter à la cuisine, elle répond évasivement :

– Entre autres.

Trop curieuse, j'insiste.

– Et pis quoi ?

– Bah ! Les petits tracas de la vie.

Depuis la salle de bain, Vivianne m'implore de la rejoindre. Elle y est depuis 15 minutes, le temps d'enfiler ses vêtements de gitane. Je suis déçue de ne pas continuer cette conversation; maman n'est pas comme d'habitude. Elle m'inquiète. Je vais tout de même rejoindre mon amie. En la voyant, je m'exclame :

– Wow ! Tu es magnifique ! Je vais aller m'habiller aussi et on se maquillera par la suite !

Mon cher frère et ses amis ont effacé toute trace de leur passage dans le sous-sol. Tout est fin prêt pour recevoir mes amis. Autour de 19 heures, ils arrivent par petits groupes. Je suis un peu nerveuse de revoir Francis. Je me demande comment il réagira en découvrant Pocahontas.

En fait, c'est moi qui suis la plus surprise des deux quand il fait son entrée au sous-sol. Éberluée, je l'interroge :

– C'est quoi, ce déguisement ?

– Je suis Jules César, empereur romain. C'est si raté ?

Sa couronne de feuilles sur la tête, sa tunique blanche rehaussée d'une ceinture dorée, la toge rouge sur l'épaule, ses sandales, tout est parfait ! Je n'ai pas le temps de le rassurer qu'arrive Paméla déguisée en... Cléopâtre.

– On dirait qu'on est faits pour être le couple de la soirée, lui susurre-t-elle d'une voix mielleuse à l'oreille. Oh! Babette ! s'exclame-t-elle avec dédain. On dirait que tu as mordu à un hameçon.

– Un hameçon ? dis-je sans comprendre.

Elle éclate de rire, glisse son bras sous celui de Francis et l'entraîne vers ses amies Maude et Chloé.

– Un hameçon ? que je répète à Vivianne.

Elle a l'air d'un poisson avec sa bouche qui s'ouvre et se ferme sans émettre le moindre son. Je viens de tout saisir. Furieuse, je lui demande :

– C'est elle qui t'a dit que Francis allait se déguiser en Amérindien pour voir si j'allais tomber dans le piège ?

J'ai peine à croire que j'ai pu mordre si facilement à l'hameçon, comme dit Paméla-la-ratoureuse. Je fulmine, alors que Vivianne, d'abord aussi éberluée que moi, change d'air tout à coup. C'est fou comme elle a envie de rire. Je lui lance bêtement :

– Quoi ?

– Une chance qu'elle ne nous a pas dit qu'il allait se déguiser en joueur des Canadiens. Tu aurais pu arriver en Youpi !

Dans ma tête, je vois la scène. J'aimerais rester de glace, mais le regard complice de Vivianne me réchauffe. Sans cette crotte sur le cœur qui refuse de partir, j'aurais vraiment pouffé.

– Allez, dit ma meilleure amie en me tirant par le bras. Tu es magnifique ! Viens danser !

– Je la déteste, cette Paméla, que je lui confie en acceptant de la suivre. On était vraiment obligées de l'inviter ?

Vivi hausse les épaules. Peut-être que mon frère a gardé des reliques de son vieux sandwich aux œufs pourris et pourrait les mettre dans les poches de manteau de Paméla-la-casseuse-de-party ? Je souris juste à y penser. La vengeance est douce au cœur de l'Indienne !

Comme promis, Francis s'occupe de la musique. Il est ravi de voir que nous nous trémoussons sur les rythmes endiablés qu'il a choisis. J'incite des amis à nous imiter et, bientôt, tout le monde se dandine et s'amuse, sauf Paméla-l'aguicheuse, qui préfère choisir les CD en compagnie de Francis. Je suis affreusement jalouse, mais je ne veux surtout pas le montrer. Je m'efforce plutôt de m'amuser sur la piste de danse improvisée.

Plus tard, comme j'ai soif, je vais me servir à boire. J'en profite pour regarder autour de moi. La fête est réussie, tous les jeunes s'amusent et rient, ce qui me satisfait et me comble de bonheur. En balayant la salle des yeux, je croise le regard de Francis. Il lève son pouce en ma direction afin de me féliciter. Je souris et lève le mien en retour. Je lui montre mon verre et lui demande, par signes, s'il en veut un. Il approuve de la tête.

Paméla-la-reine-d'Égypte semble outrée que je n'aie pas pensé à lui apporter à boire aussi.

– Les verres sont sur la table, et les boissons dans la glacière, si tu veux te servir, lui dis-je avec mon air le plus effronté.

Hésitant à me laisser seule avec César, elle demande à Maude d'aller lui chercher un soda. Cette dernière s'exécute tel un chien fidèle.

– Merci, me glisse Francis à l'oreille après avoir bu son jus d'un trait. Tu veux danser la prochaine chanson avec moi ?

Mes jambes ramollissent, mes joues rougissent. Un grand sourire s'affiche sur mon visage. Il prépare un CD, appuie sur une touche et une musique douce commence à jouer.

– Oh ! Je l'aime, cette chanson-là ! s'écrie Paméla-la-fatigante.

Francis prend ma main et, à la grande surprise de son assistante musicale, m'entraîne là où plus personne ne danse. Il pose ses mains sur ma taille. Je mets les miennes sur ses épaules. Bien sûr, nous gardons une bonne distance entre nous deux, car je le crois aussi gêné que moi d'être observé par tout le monde. Bientôt, d'autres couples se forment, mais c'est sans aucun doute le mien qui est le plus merveilleux. Francis m'attire tout doucement à lui, mes mains se touchent maintenant derrière sa nuque.

– Nous sommes en train de réécrire l'histoire, me chuchote-t-il à l'oreille.

Sa bouche est si près que je sens son souffle. Je ne comprends pas ce qu'il vient de dire. J'ai attendu cet instant trop longtemps pour me reculer et le regarder avec un air interrogateur. Si je le fais, je vais sans doute me prendre le pied dans les fleurs du tapis, et tomber sur le dos. Tout le monde rira, je serai morte de honte et jamais je ne saurai ce qu'il a insinué. J'ose donc coller ma joue sur la sienne et lui demande à l'oreille :

– Pourquoi ?

– César n'a jamais dansé avec Pocahontas...

Ma langue, qui est plus rapide que mon cerveau, se délie :

– Tu regrettes de ne pas danser avec Cléopâtre ?

Je le sens sourire contre ma joue. Il avoue :

– Oh non ! Je dis simplement que César aurait dû danser avec Pocahontas. Il ne sait pas ce qu'il a manqué ! Elle est tellement plus belle et plus merveilleuse que la reine d'Égypte !

Ça y est ! Je vais tomber dans les pommes ! Mes jambes sont molles… J'ai vraiment chaud en dessous des bras ! Ciel ! Ai-je mis de l'antisudorifique ? Il ne faudrait surtout pas que je me mette à puer.

Tout à coup je sursaute. Quelqu'un a sifflé. Je reconnais mon petit frère. Il a dû se faufiler jusqu'au sous-sol. Il montera et ira bavasser à maman que je danse avec un garçon. Et elle, comment réagira-t-elle ? Elle me taquinera sûrement après avoir trouvé un prétexte pour descendre en bas. Où en étais-je, donc ? Ah oui ! En train de recevoir le plus merveilleux compliment du monde par le gars qui me plaît le plus sur la Terre entière ! Une chance que Julien a sifflé : ça m'a empêchée de perdre connaissance !

Je ferme les yeux en reposant ma joue contre celle de Francis. Je n'ai aucune idée si c'est convenable, aucune idée si ça lui plaît aussi. Ce qui me rassure, c'est qu'il ne recule pas, mais me garde bien contre lui. C'est... divin ! Enfin presque, car la musique douce cesse subitement et Paméla-la-perdante met une chanson plus rythmée. Je lui jette un regard rempli de reproches. Elle ne devait plus être capable de nous voir danser ensemble, Francis et moi. Pfft !

Mon compagnon me tient toujours la main et m'entraîne vers le buffet.

Je jubile : il préfère ma compagnie plutôt que de retourner jouer au DJ. Je remarque que maman n'a pas encore descendu les muffins que Vivi et moi avons cuisinés. J'ai peut-être réussi à la convaincre que des petits gâteaux, ça ne fait pas fête d'ados !

Je reste accrochée sur l'image de ma mère. Je la trouve moins en forme, ces temps-ci. Je suis certaine que ses études lui prennent toute son énergie. Je me souviens tout à coup qu'elle devait prendre sa voiture cette semaine, quand j'ai eu mon allergie, parce qu'elle devait se rendre quelque part après sa charge de cours à l'université. Je l'avais taquinée au sujet d'un rendez-vous galant ! Sur le calendrier, il était inscrit « 16 heures, Dr Larose ». Je fais le lien et comprends que ce rendez-vous n'avait rien de galant. Je revois ses traits tirés, ce pli qu'elle a sur le front quand elle est soucieuse... Puis, me reviennent en mémoire les dépliants d'informations médicales que j'ai trouvés sur son bureau en cherchant le devoir de mon frère, et que j'ai probablement oubliés malgré moi. Des feuilles où étaient inscrits les mots: « Cancer du sein ».

– Francis, il faut que je monte voir ma mère, dis-je, la bouche pleine de chips.

Il me regarde avec un point d'interrogation. J'avale ma bouchée. Mes larmes en profitent pour se frayer un chemin jusqu'à mes yeux.

– Elle est malade.

Je le quitte sans plus d'explications. Je grimpe les marches deux par deux et trouve ma mère assise au salon, en train de lire. Elle sourit en m'apercevant.

– Tu as du plaisir ? Julien m'a dit que tu avais été invitée à danser ? Mais… qu'est-ce qu'il y a ? Pourquoi est-ce que tu pleures ?

ÉPILOGUE

FROUTCH !

Je m'étends de tout mon long en sortant de ma chambre.

– Julien ! Pourquoi as-tu mis ta valise devant ma porte de chambre ?

Bien sûr, la valise était mal fermée et son contenu s'est étalé en même temps que moi.

– Julien ! As-tu mis les billets d'avion dans la petite valise de cabine ? crie maman. Babette, où est ton passeport ?

– Je te l'ai donné, maman !

– Voyons ! Je ne trouve rien... Julien, où as-tu bien pu...

– Vite ! Papa est là, crie mon frère en lui coupant la parole.

C'est le branle-bas de combat dans la maison. Nous partons en voyage. Maman court dans toutes les pièces à la recherche de nos papiers officiels et des billets d'avion, alors que je m'affaire à remplir la valise que j'ai malencontreusement vidée. Mon frère cherche son iPod qu'il vient tout juste d'égarer et notre chien jappe sans arrêt.

Ah oui ! Nous avons un chien. Papa l'a donné à maman peu de temps après la fête d'Halloween organisée il y a deux ans. Un beau petit toutou qui tenait compagnie à ma mère pendant ses traitements de chimiothérapie et sa convalescence.

– Babette ! Va porter Peanut chez Francis !

Peanut, c'est le nom de notre chien et, non, je n'y suis pas allergique ! Aujourd'hui est une journée magnifique, car nous allons tous les quatre dans le Sud fêter la guérison de ma mère. Aller reconduire mon chien chez mon ami me fait plaisir et me permet de fuir le brouhaha stressant qui règne dans la maison. J'emporte la cage de Peanut, dans laquelle Julien a mis toutes les choses dont notre chien aura besoin. Depuis la maladie de maman, mon frère fait de grands efforts, il se ramasse plus et participe aux tâches de la maison.

Francis m'ouvre la porte. Mon chien, que je tiens en laisse, entre sans être invité. Je manque de renverser la cage tant il tire sur la corde.

– Alors, tu es prête ? me demande mon ami, pendant qu'il détache mon toutou.

– Oui, nous partons dans une quinzaine de minutes. Maman voudrait que tu lui donnes seulement cette nourriture, dis-je en pointant un sac dans la cage, après l'avoir déposée.

Il ne faut lui donner rien d'autre, et surtout pas des restants du souper. Ça, c'est son jouet préféré et, là, c'est sa doudou. Si tu veux qu'il dorme, tu dois étendre sa couverture et…

– Je sais tout ça, Éli.

Francis est toujours le seul à m'appeler ainsi et non Babette.

– Allez, je dois retourner chez moi ! dis-je en le quittant avec un peu de regret.

– Euh ! C'est quoi, là ?

– Où ? dis-je en fouillant du regard l'endroit qu'il me pointe du doigt.

Il entre sa main dans la cage et, sous la doudou, il trouve nos passeports, nos billets d'avion et un iPod. Sacré Julien ! Je suis à peine surprise. Mon amoureux me fait une belle accolade et je m'enfuis avec le sourire. Je pousse la porte d'entrée de chez moi en ayant hâte de montrer aux autres ce que Francis a découvert dans la cage. Malheureusement, quelque chose la bloque. Je réussis de peine et de misère à me faufiler dans l'ouverture et aperçois ce qui m'empêchait de l'ouvrir: les souliers de mon cher petit frère.

J'ai dit qu'il se ramassait plus depuis l'annonce du cancer de maman. Mais je n'ai pas dit qu'il était moins traîneux!

MOT SUR L'AUTEURE

Des traîneries, ça, Josée Pelletier connaît ! Vivre avec trois adolescents dans la même maison, c'est toute une histoire !

Une boîte à lunch laissée sur le pas de la porte, un lit non fait, le fouillis dans le placard, le tube de dentifrice abandonné sans capuchon auprès du lavabo, de la vaisselle sale sur le comptoir de la cuisine, un pupitre couvert de paperasse à classer... Attention ! Ça, ce sont seulement ses traîneries à elle.

Bref, ses ados ont de qui tenir !

Alors imaginez le désordre... et pourtant, Josée ne changerait pas de vie avec qui que ce soit. Surtout pas une vie sans ados, dans une maison bien ordonnée... elle s'y ennuierait à mourir !

Mes parents sont gentils mais...

19. Ma voisine est gentille mais... pas avec moi !
    JOCELYN BOISVERT
18. Mon serpent est gentil mais... tellement disparu !
    CAROLE TREMBLAY
17. Mon frère est gentil mais... tellement traîneux !
    JOSÉE PELLETIER
16. Mon ami Sam est gentil mais... tellement casse-pieds !
    JOCELYN BOISVERT
15. Ma directrice est gentille mais... tellement toquée !
    DANIELLE SIMARD
14. Mes parents sont gentils mais... tellement séparés !
    SYLVIE DESROSIERS

ILLUSTRATRICE : LOUISE CATHERINE BERGERON

Marquis imprimeur inc.

Québec, Canada
2012

Imprimé sur du papier Silva Enviro 100% postconsommation traité sans chlore, accrédité ÉcoLogo et fait à partir de biogaz.

13. Mes parents sont gentils mais... tellement débranchés !
HÉLÈNE VACHON
12. Mes parents sont gentils mais... tellement paresseux !
JOHANNE MERCIER
11. Mes parents sont gentils mais... tellement peureux !
REYNALD CANTIN
10. Mes parents sont gentils mais... tellement bornés !
JOSÉE PELLETIER
9. Mes parents sont gentils mais... tellement malchanceux !
ALAIN M. BERGERON
8. Mes parents sont gentils mais... tellement écolos !
DIANE BERGERON
7. Mes parents sont gentils mais... tellement désobéissants !
DANIELLE SIMARD
6. Mes parents sont gentils mais... tellement mauvais perdants !
FRANÇOIS GRAVEL
5. Mes parents sont gentils mais... tellement amoureux !
HÉLÈNE VACHON
4. Mes parents sont gentils mais... tellement dépassés !
DAVID LEMELIN
3. Mes parents sont gentils mais... tellement maladroits !
DIANE BERGERON
2. Mes parents sont gentils mais... tellement girouettes !
ANDRÉE POULIN
1. Mes parents sont gentils mais... tellement menteurs !
ANDRÉE-ANNE GRATTON

ILLUSTRATRICE : MAY ROUSSEAU